रवीन्द्रनाथ त्यागी रचनावली

खण्ड : सात

खण्ड : एक

व्यंग्य-संसार : खण्ड एक से छह

•खुली धूप में नाव पर (1963) •भित्ति-चित्र (1966) •मल्लीनाथ की परम्परा (1968) •कृष्णवाहन की कथा (1971) •देवदार के पेड़ (1973) •शोक-सभा (1974)

खण्ड : दो

•अतिथि-कक्ष (1977) •फूलों वाला कैक्टस (1978) •सुन्दरकली (1978) •ऋतु-वर्णन (1979) •भद्र पुरुष (1980) •इस देश के लोग (1982) •पद-यात्रा (1985)

खण्ड : तीन

•आत्मलेख (1988) •पराजित पीढ़ी के नाम (1988) •प्रसंगवश (1988)

खण्ड : चार

•विषकन्या (1990) •गणतन्त्र दिवस की शोभायात्रा (1991) •चम्पाकली (1992)

खण्ड : पाँच

•इतिहास का शव (1993) •देश-विदेश की कथा (1994) •भाद्रपद की साँझ (1996) •लाल-पीले फूल (1997)

खण्ड : छह

•बादलों का गाँव (1999) •शेष-अवशेष (2011)

खण्ड : सात

काव्य-संसार

•सूखे और हरे पत्ते (1962) •कल्पवृक्ष (1965) •आदिम राग(1967) •आखिरकार (1978) •सलीब से नाव तक (1983) •अन्तिम बसन्त (1988) •कृष्णपक्ष की पूर्णिमा (1996)

खण्ड : आठ

विविध

•उपन्यास : अपूर्ण कथा (1980) •कहानी (1980) •पत्र (2008) •बाल-साहित्य

रवीन्द्रनाथ त्यागी रचनावली

खण्ड : सात

सम्पादक

कमल किशोर गोयनका

वाणी प्रकाशन

वाणी प्रकाशन
4695, 21-ए, दरियागंज, नयी दिल्ली 110 002
शाखा
अशोक राजपथ, पटना 800 004
फ़ोन : +91 11 23273167 फ़ैक्स : +91 11 23275710
www.vaniprakashan.in
vaniprakashan@gmail.com
sales@vaniprakashan.in

RAVINDRANATH TYAGI RACHNAWALI-7
Edited by Kamal Kishore Goyanka

ISBN : 978-93-5229-520-3
Rachnawali

प्रथम संस्करण 2016

प्रत्येक खण्ड का मूल्य : ₹ 1000
(आठ खण्ड सेट) सेट मूल्य : ₹ 8000

हर्ष प्रिंटर्स, दिल्ली-110 093 में मुद्रित

वाणी प्रकाशन का लोगो मक़बूल फ़िदा हुसेन की कूची से

अनुक्रम

काव्य-संसार

सूखे और हरे पत्ते (1962)

आदिम राग (1967)

आख़िरकार (1978)

सलीब से नाव तक (1983)

अन्तिम वसन्त (1988)

कृष्णपक्ष की पूर्णिमा (1996)

सूखे और हरे पत्ते
(1962)

सुमित्रानन्दन पन्त को

नोट

इस पुस्तक के प्रकाशन में सर्वश्री नवीन चन्द्र वछराजानी, चन्द्रप्रकाश ऐरन व वाचस्पति पाठक ने मेरी बड़ी सहायता की है और उनका मैं हृदय से आभारी हूँ। डॉ. जगदीश गुप्त ने पूरी पुस्तक को छपने से पूर्व कई बार पढ़ा है और कितने ही सुझाव दिये हैं जिनके लिए मैं उनके प्रति कृतज्ञ हूँ। स्नेही मित्र सुरेन्द्रपाल ने तो कविताओं में ख़ूब काट-छाँट की है और उन्हें सँजोया-सँवारा है जिसके लिए मैं उन्हें धन्यवाद देता हूँ।

प्रयाग
14.11.61

—रवीन्द्रनाथ त्यागी

सूखे और हरे पत्ते

आँधी आयी है आज
अन्दर और बाहर
भारी आँधी
गर्द औ' गुबार से भरी

—और झंझावात से काँप उट्ठा है आकाश
लहरों की नाव से चाँदनी का पाल उड़ा जाता है
और किनारे पर खड़े पेड़
सधे जुआरियों की तरह
अपने पत्ते—सूखे और हरे—
एक के बाद एक—
धरती पर डालते जाते हैं

भूरे और हरे पत्ते—
आँधी के पुत्र,
सुख और दुख की तरह
दिन और रात की तरह
मेरे चारों ओर मँडरा रहे हैं,
कितना अच्छा लगता है इन्हें पकड़ना
आँधी में इनके पीछे-पीछे दौड़ना...

सारे पत्ते एक साथ हाथ नहीं आते,
कुछ आज पकड़े हैं
कुछ अगली आँधी में पकड़ूँगा
तुम्हारे लिए फिर से
किसी सिन्दूरी शाम को
रेशमी बन्दनवार बनाऊँगा

तब तुम उसमें से आना

मेरे गाने

मैंने अपने गानों को जनम दिया
एकदम चुपचाप—अकेले,
पर फिर भी एक दिन
उन सबके कण्ठ खुले,
और एक सुबह
—पंख-उगे पक्षियों की तरह—
वे रोके न रुके77
उड़ निकले;
कुछ ने आशीर्वाद दिया
कुछ मुस्कुराये :
और
मेरी आँखों से
खुशी के—डर के
दो आँसू बह निकले!

रवीन्द्रनाथ त्यागी की प्रथम पुण्य-तिथि (4 सितम्बर, 2005) को देहरादून में आयोजित कार्यक्रम में पूर्व मुख्यमंत्री नित्यानन्द स्वामी द्वारा 'रवीन्द्रनाथ त्यागी मार्ग' का उद्घाटन। चित्र में शारदा त्यागी, अश्वघोष, श्रीमती वीणापाणी जोशी, जगदीश बावला, नेमिचन्द्र जैन आदि।

रवीन्द्रनाथ त्यागी की दूसरी पुण्य-तिथि पर
देहरादून में आयोजित कार्यक्रम में हरीश नवल त्यागी जी के
चित्र को अपनी श्रद्धांजलि अर्पित करते हुए।

एक प्रश्न

कल उन्होंने पूछा
मैं कैसे लिखता हूँ
क्यों लिखता हूँ;
काश, वे यह पूछते
मैं कैसे जीता हूँ
क्यों जीता हूँ

जानता हूँ जीना बेमतलब है
फिर भी जीता हूँ
जीने की कोशिश करता हूँ,
जानता हूँ लिखना बेमतलब है
फिर भी लिखता हूँ
लिखने की कोशिश करता हूँ,
बिना जिए रहा नहीं जाता
इसलिए जीता हूँ
बिना लिखे रहा नहीं जाता
इसलिए लिखता हूँ :
सोता हूँ
उठता हूँ
दफ़्तर जाता हूँ
सिगरेट पीता हूँ—
जिसके धुएँ की तरह
सपने उड़ गये...
यह सब करता हूँ
बेमतलब
बेकार
पर किसी को एतराज़ नहीं

कोई सवाल नहीं :
मोमबत्ती की तरह बुझने को
ज़िन्दगी जलती है,
घास की तरह बिछने को
दिन उगते हैं
और सब खुश हैं,
कोई सवाल नहीं करता,
हाँ, अलबत्ता यह ज़रूर पूछते हैं
आप क्यों लिखते हैं
कैसे लिखते हैं?

उठते क़दम

क़दम के बाद क़दम उठता गया
और...
एक क़दम ने दूसरे को जगह दी
जैसे एक लहर से उठती है दूसरी लहर
जैसे जलता है एक चिराग़ दूसरे के बाद
जैसे फूटता है एक स्वर से दूसरा स्वर
बनाने को सरगम,
ठीक वैसे ही उठते जाते हैं
मेरे ये मज़बूत क़दम

मत पूछो—
कहाँ ले जायेंगे
मुझको ये मेरे क़दम,
मुझको स्वयं इसका पता नहीं,
एक मंज़िल दूसरी को जगह देती है
रास्ता अक्सर अधूरा रहता है :
क्या संगीत बनेगा इन स्वरों से
क्या ज्वार उट्ठेगा इन लहरों से
मुझे ख़ुद मालूम नहीं।
इतना काफ़ी है
कि एक क़दम के बाद
मिलती है ज़मीन दूसरे के लिए
और हँसता औ' मुस्कराता हुआ
मैं क़दम रक्खे जाता हूँ।

पर हाँ, यह निश्चित है

कि इन स्वरों से एक गीत बनेगा ज़रूर
उट्ठेगा एक ज्वार इन लहरों से
और ले जायेंगे किसी मंज़िल पर
मेरे ये क़दम मुझको ज़रूर
यह निश्चित है।
क़दम टेढ़े हों या सीधे हों
आगे ज़रूर ले जाते हैं,
कोई क़दम कभी बेकार नहीं जाता
गिरना भी क़दम उठाना है
इसी से टूटे स्वर फिर जुड़ जाते हैं
खोई लहरें फिर वापस आ जाती हैं
और मैं क़दम ब क़दम
आगे बढ़ता हूँ
प्रतिदिन, प्रतिक्षण

गानों की खेती

अपने इन दुःखों को
बेकार मत जाने दो,
चेहरे के चिराग़ से
आँसुओं के पतंगों को
यूँ ही न उड़ जाने दो,
ये सागर की लहरें हैं
इनमें ज्वार आया है
इन्हें यूँ ही न बह जाने दो

दुःख तुम्हें यत्न करने से मिले हैं
वर्षों के तप औ' प्रतीक्षा से मिले हैं
इन्हें यूँ ही न खो जाने दो

आओ,
इन दुःखों से धरती बो दें
इन्हें चारों ओर–घर-घर–बिखरा दें
जिससे गानों की फ़सल उगे

लाल-लाल-रंगीन भरे पूरे गाने
तुम्हारे हृदय के रक्त से सने!

बूढ़ा चाँद और नयी कोपलें

मत देखो
अँधियाले, श्मशान से काले
क्षितिज पर–
दीमक के खाए
पराजित राजा की तरह
उस रोते हुए चाँद को,
कि जिसके सिपाही
अँधियाले की खन्दक पर लड़ लड़ कर
खेत हो गये;
देखो उधर–
नदी के पार–
नये उगते चाँद की पतली रेखा
कि जिसे आगे बढ़ना है
कि जिसे लड़ना है
कि जिसका भविष्य है।

मत देखो,
उन सूखे चुरमुरे पत्तों को
जिनके ऊपर बरसा चुकीं कोयलें अपने गाने,
जिनके लिए खोल चुकीं
वन की बालाएँ अपनी बाँहें,
उनको मत देखो;
उनकी ताज़गी वन का वैभव हो गयी
उनका सौरभ जंगल का इतिहास हो गया
अब वे चींटियों से भरे हैं
धूल से लदे हैं

उनको मत देखो।
देखो इनको
नयी निकलती कोपलों को—
ये नये प्रेम की तरह उगी हैं
इनका भविष्य है।

कल की शाम

कल
एक अजीब-सी बात हुई
पर्दों के पीछे छुपती-छुपती
शाम अन्दर आयी
और आकर मेरे पास
सोफ़े पर बैठ गयी

वह ख़ामोश थी
उदास, सिर झुकाए—
कमरे में अँधेरा था
पर मैंने उसे पहिचान लिया,
यह वही शाम थी
जो बरसों पहले
मुझसे एक बार कहीं मिली थी,
किसी होटल में या स्टेशन पर,
तब भी वह इतनी ही उदास थी
संजीदा थी
कुछ खो गया था उसका
और मेरा भी...

यह ठीक वही शाम थी
जो कल चोरी से
मेरे पास फिर आयी

दार्जिलिंग का रोमांस

हवा की चादर में छिप कर,
ऊपर उठी–
सर्वज्ञाता-सी
कंचनजंगा की आँखों से बच-बच कर,
लम्बे खड़े
स्वीट-पी ने
झुक कर शरमाई पेंज़ी से कुछ कहा
कुछ सुना
और पेंज़ी और शरमा गयी,
हवा के झोकों से
उमंग में लिपट गयी
और गेंदे का पेड़–बेचारा
ईर्ष्या से लाल-लाल
देखता रहा
मन ही मन जलता रहा।

और यह सब
होता रहा ठीक मेरे सामने,
बैठा रहा मैं डाक-बँगले के बरामदे में :
सोचता रहा
मैं भी किसी के पास होता
किसी के लिए झुकता,
नीचा होता,
किसी से अपनेपन की दो बातें करता।

रति-ऋतु

कोयल कूजी
रति की ऋतु आयी,
मुझे आज
अनायास
किसी की याद
फिर आयी,
चाँद शरमाया
कली मुस्काई

पेड़ों की शाखों पर
फूलों के दीप जले,
चाँदनी की कनात के तले
आमों के बौरों के आँगन में
कोयल ने पीड़ा के स्वर भरे;
सवारी गुज़र रही है बसन्त की—
आज इधर से,
आँखें भर आयीं,
ओठों पर बिसरे गानों की
धुन उठ आयी,
कोयल कूजी
रति की ऋतु आयी

शाम हो गयी

शाम हो गयी
छिप गये पेड़,
जंगल से लौट आये
बैल, बकरी, भेड़;
पीपल पर लाल-लाल
परियाँ रहीं नहीं,
दूर उधर वन ही में
छिप गयीं कहीं

शब्द एक आता था
किसी के गाने का—
बन्द हो गया : दीप
मन्दिर पर जल गया,
पोखरों से होकर के
घेरों के पास तक—
अँधियाला बढ़ आया
चुपके लपक!

डगरों से धूल भरे
बच्चे गये,
क़स्बे के व्यापारी
वापस हुए,
पेड़ों के डैनों में
पंछी सोये—
तारों की छाया में
पेड़ सो गये

सरिता के आस-पास
तीर सो गया,
रात की उन बातों में
तम खो गया,
अधरों के बिस्तर पर
गान सो गये,
दिन भर के थक कर
उदासी भरे

ये मौसम

ये बादल!
ये बारिश!!
ये मौसम!!!

धरती है गीली गीली
गन्ध भरी हरियाली
हरी कोपलों जैसे बादल–
नभ की शाखें खिली खिली

छूकर तन–
चुपके निकल जाती है पवन
मन्द, मन्थर, मद भरी :
चाँदनी में
वंशी चुराने
जैसे जाती हो–
व्रज की कोई गोपी गोरी

मौसम आया जीने का
मौसम आया पीने का
कोयल का स्वर
आमों की गन्ध
मौसम आया गाने का

नन्ही-नन्ही बूँदों के गीत–
हवा के झोंकों की रीत–
वह कड़क
वह गरज
वह चमक
इन सब से मेरी कितनी प्रीत!

सावन आया...

आया सावन,
विकसे तन मन,
बहती मीठी
पूरबी पवन

भरी लबालब
सारी पोखर
करते मधुरव
बकुलों के पर,
आमों पर से
कोयल का स्वर–
बिखर रहा
प्राणों का निर्झर!
बूँदों से फिर
जग-जग जाती
करवट लेकर
वन की मर्मर

केश सजीले
गोरी गोरी,
तिरछे तीखे
नैनों वाली,
ले माथे
अधरों पर लाली,
स्वप्न सजाए
नत पलकों पर
औ' अलकें वे

मोती वाली,
चलीं उमड़ कर
बरगद नीचे—
ग्राम युवतियाँ
भोली-भाली,
छन छन छन छन
होती जाती
हौले-हौले
पगधुनि भोली

बच्चे हँसते
स्वाँग मनाते,
मुँह काला कर
गाना गाते,
आठ दिनों में
धान उगाते
भात खिलाते
पेट दिखाते
आँख नचाते :
औ' वृद्धाएँ
हँसती जातीं
ओठ दाब कर,
बूढ़े हँसते

आँख पोंछ कर—
उनका भी था
ऐसा बचपन,
पहले भी तो
आया था—
ऐसा ही सावन!

डगर भर गयीं—
झीलें हँसतीं—
कली साँझ की

अँधियाले में
मुझे जान कर
मुस्का देती,
जुगुनू चमके,
मेंढक बोले,
चरवाहों ने वंशी छेड़ी—
जमुना के कुंजों में राधा
कहीं स्याम ने कैसे पकड़ी!

नाले बहते—
नदियाँ उभरीं,
पीपल चमका—
रेख स्वर्ण की
इधर-उधर को
चुपके बिखरीं,
कमल खिल गये—
सारस आये—
वन की बालाओं ने
मिल कर गाने गाये,
मोर हुचक कर
रखता चुम्बन
ऊपर उसके
नाच रही जो
अभिलाषा से उभरी उभरी!

इधर-उधर को
चूते छप्पर,
चौपालों पर
बैठ परस्पर
आल्हा गाते
वे गँवार नर,
मलखे औ'
माहिल का चक्कर,
मूँछ ऐंठ कर

हुक़्क़ा भर कर,
बूढ़े बच्चे—
ताली देकर,
बाँटा करते
हँसी-ख़ुशी को
उतराती जो
मेंड़ों पर से
सावन की गोदी में से जो—
गिरती जाती
सोई भू पर,
क्षण भर को
दुख सभी भूल कर।

सावन आया
मस्ती लाया
धूप-छाँह का
सौरभ लाया,
महुओं औ'
आमों पर छाया,
मदिरा लाया—
अनायास ही
इसने फिर से
तेरा-मेरा
मन बौराया,
सावन आया...

चाँद निकला

बादलों की शाम थी यह
आँधियों की साँझ थी यह
गड़गड़ाहट गगन में वो
धूल के तूफ़ान सारे
वे बवण्डर
मिट गये कब?
कब कहाँ से मुस्कुराता
चाँद ये पूरा सजीला
आ गया चुपचाप
छत पर?

मैं पड़ा था
आज सारे दिन अकेला,
आज मेरे दिल की मेहराबों में था
कितना अँधेरा!
वह उदासी—
वह अकेलापन—
क्या करूँ? —कैसे गुज़ारूँ वक़्त को?
और वे बन्धन
तोड़ जिनको मैं नहीं सकता कभी
भूल जिनको मैं नहीं सकता कभी
आ गये फिर सामने सब,
ऊब कर औ' तंग आकर
निकल आया
औ' जलायी एक सिगरेट
देखता हूँ—
मैं अकेला जो कि अपनी

ज़िन्दगी को कोसता हूँ :
शान्त है नभ
सो गये खग
और सारे लोग घर के
कुर्सियाँ डाले हुए हैं
लॉन पर बाहर

नीम में उलझा चाँद

ओह,
चाँद आज फिर
नीम में उलझ गया!

चाँद तो पागल है
अपने रूप पर मतवाला;
इतनी रूपराशि सिमटा कर
इस टूटे नंगे–
पतझर का घोंसला बने
नीम में आकर उलझता है!

ओ चाँद,
तू यहाँ क्यों उलझता है पागल!
तेरे लिए तो
बर्फ़ के फूलों की माला लिए
किन्नरियाँ पर्वतों पर खड़ी हैं,
तू वहाँ जा
परियों को पकड़
जो तेरी किरणों में बँधी अनजाने
डूब-उतरा रहीं हैं सागरों में,
लज्जित-वदना किशोरियों को देख
पलक भर निहार रही हैं तुझे :
तू यहाँ क्यों अटका है?
जा!

देख,
इस सूखे नीम में जीवन न भर

इसकी शाखों को अन्धा ही रहने दे :
भूल जा पुराना प्रेम–
भूल जा बीते दिन–
जब तू यहाँ पहिली बार उलझा था,
अब यह नीम वह नहीं रहा।

चाँदी की रात

कितनी प्यारी
साफ़ सुहानी
आज चाँदनी रात,
आओ, चलें—
आम के नीचे
करें प्यार की बात

मेरी होती छाती गद्‌गद
देख चाँदनी ऐसी,
ऊपर-नीचे, दायें-बायें
इधर-उधर सब चाँदी,
चाँदी की चादर में खोए
मेरे-तेरे तन-मन,
चाँदी में सब रँगे हुए से
गृह मग तरु वन
....

आमों की डाली पर से
कोयल ने स्वर बिखराया
इस चाँदी के सागर में
सोने का जादू छोड़ा...
मुझको डर है इस चाँदी
के इस उबले सागर में
हम दोनों भी डूबेंगे
इस सोने के जादू में,
चाँदी की इन किरणों को
हम दोनों पकड़-पकड़ कर

परियों के देश चलेंगे
बादल के ऊपर उठ कर,
रत्नों के दीपक में फिर
सोने की लौ दिमका कर,
बैठेंगे फिर हम दोनों
चाँदी की ही लहरों पर,
औ' किलकारी भर भर कर
गाएँगे वे सब गाने
कहती है दुनिया जिनको
बेमतलब औ' बेमाने :

सोएँगे फिर सोएँगे
चाँदी के गाने गाकर
और हमें जगा पाएगी
केवल सोने की परियों की
वह स्मितमयी प्रभात

आओ चलें
आम के नीचे
करें प्यार की बात

रुड़की रोड का ठूँठ

ऊपर बैठे
हरियल तोतों के साथ ही साथ
उसके पत्ते भी उड़ गये,
अब वह ठूँठ रह गया है
अस्थि-पंजर
वसन्त का कंकाल,
नंगा सूखा
एकदम नंगा!

पर अब भी गाती है कोयल उस पर गाने
और अब भी लटकता है
उसकी शाखों पर दशमी का चाँद
यह क्यों?
उसका यौवन अब नहीं आयेगा
वह तो नंगा ही रहेगा
एकदम नंगा!

शायद
चाँद औ' कोयल
उसकी स्थिरता पर मोहित हैं
वह यहीं खड़ा उनकी प्रतीक्षा करता है न?
पर यह तो भ्रम है
निरा भ्रम,
वह अपनी जगह छोड़
जा ही कहाँ सकता है?

शिलाँग की शाम

शाम हो गयी
भीड़ बढ़ गयी माल पर,
ताँता लग गया कारों का
बच-बच के चलता हूँ
नीचे-ऊँचे फ़ुटपाथ पर

पार्क से निकलने लगीं
क्लब की तितलियाँ
झील में शाम के फूल पर मँडराने को,
सेंट औ' लिपस्टिक की गन्ध–
आ रही है उनके पंखों से :
हल्ला बढ़ गया थियेटर पर
नया शो शुरू होने वाला है :
मजमा लगा है खड्ड की तरफ़–
स्पीच हो रही है किसी मज़दूर-नेता की
या आक्शन हो रहा है किसी सामान का,
लकड़ियों के ठेले
भागे चले जाते
ताज़ी चीड़ के दूध
की गन्ध छोड़ते,
फ़ौज के जवान खुश–
मुफ़्ती में सजे
जा रहे हैं सरकस को,
मछली की तरह
साइकिलें तैर रही हैं ट्रेफ़िक में

भीड़ कितनी है
दम घुटता है मेरा
साँस लेनी मुश्किल :
शहर की शाम—
उसकी दुपहरी से
ज़्यादा चमकीली,
उसकी वृद्धावस्था—
यौवन से अधिक तीखी
....

पर
शायद
ये रौनक—बेमाने, बेमतलब :
इतनी रोशनी में
देख सकता हूँ
बहुतों के उदास चेहरे—
दफ़्तर के बाबू
मज़दूर लड़ते हुए साहब से,
सड़े हुए सन्तरों का पिटारा उठाये कुली,
सब संजीदा :
चौंकते हैं जो
हर कार के भोंपू पर
जिन के अन्दर
शाम की अँधियाली से डर कर
सारी खुशियाँ सिमट-सिमट कहीं जा रही हैं,
डरते हैं
गिरजे के घण्टे से,
आ जाते
मेरे वाले फ़ुटपाथ पर,
वह औरत, वह भिखमंगा, वे बच्चे
इस खुशी में कैसे लगते हैं वे!
उम्दा फ़र्नीचर में दरार की तरह
एकदम मिस्प्लेस्ड,
उनके चेहरे पर सन्ध्या की छाया है

बिजली की रौशनी उसे और बढ़ाती है
और
इतनी न्यून लाइटों के बीच
शाम की डायन अँधियाली
गहरी होती जाती है

•

रंगों का दिन : गानों की रात

कल का था होली का दिन
कल की थी गानों की रात
सुनता रहा छत पर
होली का ढोल—होली का राग :
—होली राजा कारक की,
  सलोचना सत्ती की,
  कँवर निहालदे की, गाँधी बाबा की
  कृष्ण कन्हैया की,
गाते रहे रात भर जिन्हें
गाँव के ताड़ी पिए चमार :
—और बाहर खेतों पर
पके जौ की बालों पर
लगाता रहा चाँद चाँदी की आग,
और धुआँ बन-बन कर
उड़ती रही ऊपर
होली के बोलों की आवाज़

आज का है रंगों का दिन,
बच्चे मारेंगे पिचकारी
सब पर गिन गिन,
लो आ गयी—
बन्दूक से बारूद से भारी भरकम
उनकी पलटन,
अबीर में उलझे बाल
मटमैले मुस्कुराते गाल
रंग-बिरंगे सतरंगे कपड़े
जिन पर हर तरह के दाग़।

आओ–
उट्ठें हम भी,
डूबें चौबच्चे में,
काहे को डरते हो यार–
जो जिएगा अगली होली तक
वही तो खेल पाएगा अगला फाग!

सूरज और लहरें

छिपते हुए सूरज की किरणें
सागर की लहरों पर क्यों ठहरी हैं?
दिन भर उन पर खेलने के बाद भी
मन नहीं भरा उनका?
दिन भर सतरंगे रंगों में रँग कर भी
क्षितिज के चौखटे में जड़ा
उमंगों का हिलता चित्र
अधूरा ही रहा?

युगों से खेल रहा है, सूरज लहरों से
सदियों से धरती औ' आकाश जुड़े हैं
क्षितिज के पास कहीं दूर—
बाँहों में बाँहें डाले,
जाने कब से लजाती हैं कलियाँ
छिप कर झाड़ियों के अंचल में
वसन्त के आने पर :
मन भरा उनका?

नहीं नहीं
—धरती फिर फूलेगी अगले सावन पर,
—चाँद फिर भूलेगा अगली राका पर,
—सूरज फिर नाचेगा कल की लहरों पर,
न जाने कितने सावन
गीतों में उतरेंगे,
जाने कितने चाँद और बसन्त
छन्दों में बँधेंगे!

मुलाक़ात

बैठो, यार
जल्दी क्या है?
बैठो बैठो
एक सिगरेट पियो
एक कप चा का लो,
गाड़ियाँ तो रात भर जाती हैं
किसी से भी चले जाना
जाने में क्या मुश्किल?
ये तो आना है
ये तो मिलना है
जो मुश्किल है

याद है
हम कब मिले थे?
स्टेशन पर शायद
तुम कहीं जा रहे थे
मैं कहीं से आ रहा था
और अरसा गुज़र गया
तुम्हारा पता ही नहीं चला,
और मैं—?
उलझ गया ज़िन्दगी सुलझाने में
इम्तहान पास किया,
अफ़सर हो गया,
शादी कर ली,
बच्चे?
बच्चे अभी नहीं आये,
वे भी आ जायेंगे

जल्दी क्या है?
बैठो बैठो,
एक सिगरेट पियो,
एक कप चा का लो

और हाँ
तेज़ प्रताप—वह
आई.पी.एस. हो गया,
बुद्धि—
वह वकालत करता है
मित्र, सब ज़िन्दगी में उलझे हैं
यही अच्छा है
यही बुरा है,
छोटा हो या बड़ा
सुख हो या दुख
ज़िन्दगी सबसे ऊपर है
इसका गुज़रना ज़रूरी है

और वह—?
तन्वी श्यामा शिखर दशना....
क्या बातें करते हो तुम भी
भूले नहीं पुरानी शरारतें।
कुछ दिनों तक पता रहा उनका
फिर उन्होंने शहर ही छोड़ दिया
हाँ, ठीक कहते हो
अच्छा दिल, भोली शक्ल :
सब ख़त्म,
वह चाँदनी उतर गयी
अब दोपहर है
धूप तेज़ है
आओ, बरामदे में बैठें
वहीं चाय पियें

उनका याद आना बुरा है :
सुख होता है तो सुख होता है

पिछले सुख याद नहीं आते;
पर दुख होता है
तो पिछले दुख याद आते हैं,
ठीक है न?
और कोई बात छेड़ो–
मोटे हो गये हो मित्र
ठाठ हैं तुम्हारे...
जियो!

वह पानवाला चौराहे का
आज़मगढ़ का था वह
मर गया शायद
अब की बार गया था इलाहाबाद
दुकान पर कोई और बैठता है,
होस्टल में पुराना नौकर कोई नहीं
नये लड़के
मुझे भूत समझते हैं,
प्रोफ़ेसर हैं कुछ अभी
जिन्हें याद है हमारी-तुम्हारी,
मगर क्या है?
वे सड़कें हैं
चौराहे हैं
दुकानें हैं
वे बिजली के खम्भे हैं
जो हमें अब भी पहिचानते हैं।
वे ख़ूबसूरत नहीं हैं
पर उन्होंने शहर नहीं छोड़ा,
वे वहीं हैं
जहाँ हम बातें करते थे
सिगरेट पीते थे...
ऊब गये?
बैठो-बैठो,
जल्दी क्या है
एक कप चा का और लो,
एक सिगरेट और पियो

परिवर्तन

पता नहीं क्यों
अब मुझे तुम्हारी याद नहीं आती,
सपनों में सूरत
नज़र नहीं आती,
सिर्फ़ यह याद आती है
कि कभी तुम्हें मैं याद करता था
कभी तुम्हें मैं
सपनों में देखा करता था

...और
उन दिनों की बाक़ी है याद अभी
जब कि सुबह-शाम
पतझर के नीम में चाँद की तरह
दिल तुम्हीं में उलझा रहता था,
पेड़ पक्षी तारे और आसमान
सभी तुम्हारी याद दिलाते थे,
सभी में मैं
कालिदास के यक्ष की तरह
तुम्हारे अंगों को देखता था,
और इसी कारण
यह जानते हुए भी
कि हम दोनों की मंज़िल एक नहीं
तुम्हें भूलना मुश्किल था
नामुमकिन था।

और अरसा गुज़र गया
पता नहीं अब तुम कहाँ हो
कैसी हो,

मुझे तो वही सूरत याद है
जो बरसों पहले देख छोड़ी है,
ज़माना अपने साथ
रंग बदलता है सभी का
पता नहीं
किन रंगों में बदला है तुम्हें,
कैसी हो गयी है तुम्हारी शक्ल
कैसा हो गया है तुम्हारा दिल?

यह सब भी मैं
इसलिए सोचता हूँ
कि मैं ख़ुद बदल गया हूँ,
शायद इसीलिए
तुमसे मिलने में डरता हूँ,
मेले या नुमायश में
या सिनेमे के बाहर भीड़ में
तुम्हारी-जैसी शक्ल देखकर
सहम जाता हूँ
रुक जाता हूँ,
क्योंकि मुझे मालूम है
मैं वह नहीं रहा
जिसे तुमने देखा था
और शायद जिसकी तुम्हें याद हो।
मैं ज़िन्दगी की जेल का आजीवन क़ैदी—
इसकी निराशा व दुःखों ने,
इसके अकेलेपन ने
मुझे बदल दिया,
चेहरे के गुलाब छीन लिये,
अब मुझे बाहर लोगों से डर लगता है
तुमसे मिलने में डर लगता है।

शायद इसीलिए
तुम्हारी याद नहीं आती
सपनों में सूरत
नज़र नहीं आती

किये हुए पाप की तरह

विवश हूँ—
मैं तुम्हें भुला नहीं सकता;
ऐसा लगता है
जैसे और कुछ भी कर सकता हूँ,
कोट की तरह उतार कर—
अपनी ज़िन्दगी किसी को दे सकता हूँ,
वह इसे चाहे ओढ़े या पहिने
या फेंके,
चाहे कुछ भी करे
सब बर्दाश्त है,
पर विवश हूँ,
किये हुए पाप की तरह—
मैं तुम्हें भुला नहीं सकता!

अपशकुन

आज सुबह ही सुबह
(क्या सजीली सुबह थी आज!)
चाय के प्याले पर
तुम्हारा ज़िक्र आ गया,
ज़िक्र आ गया—
फिर कोई बात याद आ गयी
फिर कोई और बात याद आ गयी
सारा का सारा दिन
ख़राब हो गया!

दुविधा के क्षण

कभी-कभी लगता है
जीवन यूँ ही बीत जायेगा
यूँ ही—
सफ़र की रात की तरह

कभी-कभी लगता है
मुझे न मिलेंगे
जीवन की मदिरा के घूँट,
मुझ पर न ठहरेंगे
साकी के कटाक्ष,
मैं तो यूँ ही—
नदी में से चाँद की तरह
बाहर निकल आऊँगा
प्यासा और निराश,
और मेरा जीवन
यूँ ही बीत जायेगा
सफ़र की रात की तरह
आशा और प्रतीक्षा में

काँप उठता है मन!
मैं
यूँ ही निकल आऊँगा
सुषमा के कानन से,
मैं न पकड़ पाऊँगा
बसन्त के पग-चिह्नों को,
मुझे न मिलेंगी

वन की बालाएँ
चाँदनी की किरणों की माला लिये,
मैं न जा पाऊँगा •
सात समन्दर पार—
परियों की राजकुमारी से मिलने?

ओफ़,
वन-वन डगर-डगर
घूम लेने पर मेरे—
कोई कहेगा पीछे से—
फूलों की घाटी का पथ छूट गया,
आगे काँटों भरा जंगल है
सूखा और जला,
वहाँ अन्त है
अन्त!

और लौट आता है विवेक
ये सब हैं कवियों की बातें...
झूठी...
या सच है?
पढ़ा लिखा सब बेकार?
जीवन क्या यूँ ही बीत जाता है
काम पर जाते-जाते
मिसेज़ के साथ
महीने का बजट बनाते-बनाते?

एक बड़े शहर की पुरानी गली

शराबियों-से एक-दूसरे पर गिरे ये मकान
गन्दे रक्त की शिराओं-सी ये गलियाँ
कीड़ों-से ये कंकाल–
चुंगी की डिबरी की मद्धिम रोशनी में
आते-जाते

उधर–कोने पर बनिये की दुकान
जहाँ गल्ला बिकता है
हल्ला होता है
जहाँ मुहल्ले भर के लोग
चन्द साँसें ख़रीदने को खड़े हैं–
कल तक के लिए;
और जिसके पास,
खम्भे के तारों पर लटकी चिमगादड़ के पास
चाँद आकर बैठा है,
बित्ता भर आसमान के टुकड़े पर
रोते-रोते

टूटी-फूटी सीढ़ियाँ,
तंग कोठरियाँ,
कैसे साधता है यहाँ पुष्पधन्वा अपना बाण?
मौत ने पोती हैं दीवारें यहाँ
कैसे होते हैं वहाँ शादी और सुहाग?
यहाँ तो–ऐसा लगता है
कि लोग मरते,
मरते,
और मरते जाते

गायक

तुम कौन हो,
क्यों आते हो?
रोज़ इसी वक़्त
मेरी खिड़की के नीचे
क्यों गाते हो?

चिराग़ों की लौ के उठने पर,
मरे दिन का बोझ कमर पर लादे
थके-माँदे डग रख
जब मैं वापस होता हूँ,
जब म्यूर मिल का भोंपू जगता है,
और जब
करघों पर दूसरी शिफ़्ट शुरू होती है,
जब हाथ में चा का प्याला लिये
कपड़े बदल
मैं खिड़की में से देखता हूँ
गन्दी गली में बहती भीड़ को
कि तभी–
एकदम अनायास
बग़ल में दर्द की तरह
नीचे कहीं से तुम्हारा स्वर
मेरे पास तक आता है
और लगता है कि तुम्हीं आ गये हो
मेरे द्वार तक
किसी जन्म का ऋण लेने :
तुम्हारा स्वर छूते ही

मेरी खुशियाँ—चिन्ताएँ
व्रज की गोपियों की तरह
मुझसे छूट जाती हैं
और मैं—
यमुना के तट पर
पत्तों से रहित कदम्ब की तरह
जमा रह जाता हूँ खिड़की के पास
अचेतन सा, असहाय!

हल्का सा आभास आता है
कि तुम्हारा स्वर परिचित है,
कि तुम्हें कहीं देखा है,
और यह दर्द जो तेरे स्वर में है
वह मेरा है,
और जब जब तुम गाते हो
वह दर्द
मेरे पास आने की कोशिश करता है

तुम कौन हो
जो मेरा दर्द लिए फिरते हो?
तुम कौन हो
जो गली में से नीचे, रोज़ गाते हो?

बिग गन

कल स्टेशन पर
एक बड़ा आदमी देखा—
लगता था मुर्दा जैसा
एकदम मुर्दा।
भीड़ से घिरा
फूलमालाओं से लदा :
और भीड़?
भीड़ बेकल थी
छुट्टी पाने को,
उसे गाड़ी में लाद
जय जय कार बोल
वापस जाने को

मैंने सोचा
यह मेरी हीनता की भावना है
जो वह मुर्दा लगता है,
पर नहीं—
वह था ही मुर्दा;
बेजान बेचारा
रिपोर्टरों और फ़ोटोग्राफ़रों से घिरा
संघर्ष और संक्रान्ति से दूर
जीवन की परिणति को प्राप्त :
और ठीक मुर्दे की तरह
सब उसकी प्रशंसा ही करते थे,
और सारे लोग

उसी की तरफ़ आँख गड़ाए देखते थे,
और जो छोटे छोटे ज़िन्दे आदमी
रेंग रहे थे इधर-उधर
मेरे जैसे,
उन्हें कोई देखता ही न था!

स्टाप-प्रेस

सुबह की ताज़ी ख़बर
इंसान मर गया

कहते हैं
बड़ा पण्डित था वह—
रावण की भाँति
दर्शन शास्त्र और पुराण
सब में धुरन्धर,
बड़ा कृत मति था वह—
सारा धर्म, कला और विज्ञान
उसी की सृष्टि थी,
बड़ा अमीर रहा होगा—
इतने पुल कारख़ाने
जहाज़ और रेल
समुद्र व पहाड़
उसी के थे,
और
बड़ा सुरक्षित था वह—
बड़ी बड़ी फ़ौजें कानून और सरकार
उसकी रक्षा करती थीं।
पर फिर भी बेचारे ने
आज रात प्राण छोड़ ही दिये...
अब मीटिंग होगी,
शोक प्रस्ताव होंगे,
ख़बरें छपेंगी,
जलूस निकलेंगे,
पोस्ट मार्टम होगा

तब कुछ पता लगेगा।
वैसे कुछ का कहना है–
कि उसकी पण्डिताई उसे ले डूबी,
कुछ कहते हैं–
उसका धर्म उसे ले डूबा,
कुछ कहते हैं–
उसकी अमीरी उसकी प्राण-लेवा हो गयी
और कुछ समझदार बूढ़ों की
कानाफूसी के अनुसार
उसके संरक्षकों ही ने
उसकी हत्या कर दी।

मेले के बाद

जल गया रावण,
छूट चुके पटाख़े,
छँट गयी भीड़,
जा रहे हैं सब घर को;

लम्बे लम्बे रखता हूँ क़दम
देख पाने को तुम्हें—
मुहल्ले की किसी गली में :
मुद्दत के बाद आज निकली हो

एक्सिडेण्ट

लड़ गयीं साइकिलें,
जुड़ गयीं आँखें,
सहम गये दिल

मुड़ गया हैण्डिल,
उतर गयी चेन,
टूट गयीं कुछ तीलियाँ—
और साइकिल
हो गयी क़ाबिले मरम्मत

और जब,
माफ़ी माँगने को
उठीं और झुकीं
दो शर्मीली निगाहें,
कुछ न पूछिए—
क्या गुज़र गयी
दिल ग़रीब पर

रूपगर्विता

ऐ रूपगर्विते
रूप का मान छोड़
रूप की सीमा लाँघ,
बाहर आ
देख
कब से बाहर
मैं प्रतीक्षा में खड़ा हूँ

ओ रूपगर्विते
रूप नश्वर है,
मैं नश्वर हूँ
तू नश्वर है,
रूप की परिधि में घिर कर
जीवन को और छोटा न बना,
बाहर आ
जीवन के कण चुन

ओ मानिनी,
वन वन डगर डगर
फिर कर भी
तुझे भुला न पाया,
सागर की लहरों ने
दूर देश से लायी सुगन्ध के स्वरों में
तेरे ही स्वर भरे,
चाँदनी में कलियों ने छिप छिप कर
तेरे ही गीत गाये,

तूफ़ान औ' आँधी में
तेरा ही मान टपका,
अब मैं आया हूँ
थका माँदा
तेरे द्वार पर
और तू अब भी वही है–
अपने रूप के झूठे मद में मुग्ध
अपने विष से स्वयं मूर्च्छित :
याद रख,
रूप संचय मात्र के लिए नहीं
गौरव मात्र के लिए नहीं
आ
बाहर आ
मुझे बुला

खेत और खम्भे

खिड़की के पास बैठा मैं
देखता हूँ बाहर-रेल से
बार-बार गुज़रते हुए
तार के खम्भे,
एकदम एक से
ज़िन्दगी के दिन की तरह :
जिन्हें गिनते-गिनते
याद आ जाते हैं गुज़रे दिन
एक एक कर के
जो ठीक इसी तरह
पीछे चले गये।
छा जाती है एक अजब सी ख़ामोशी
रेल के धुएँ के साथ दिल पर,
देखता हूँ दूसरी तरफ़–
हरे सूखे चौड़े और तंग खेत,
काम कर रहे हैं किसान
खेल रहे हैं लाइन के पास के स्कूल के बच्चे
चौंकते हैं ट्रेन की सीटी सुन,
और आकुल हो उठता मन
देखने को अगले बाग़, पेड़ और गाँव
जो दूर उधर चमक रहे हैं
धीरे-धीरे प्रेत की तरह उनका आकार बढ़ता जा रहा है,
सोचने लगता हूँ–
आगे पड़े दिनों की
जिनका कुछ पता नहीं,
और उदासी की दूसरी परत
दिल पर बिछ जाती।

तंग हूँ,
उकता गया हूँ—
उन खम्भों से
इन खेतों से,
उस भूत से
इस भविष्य से,
इस डिब्बे से—
गद्दों से, नोटिसों से-नक़्शों से
इन जानी-पहिचानी सूरतों से,
सोचता हूँ, कूद पड़ूँ—
नहीं बर्दाश्त होती
यह ज़िन्दगी अपनी

ठीक,
रुक गयी गाड़ी
दिल की धड़कन के साथ,
सिगनल नहीं हुआ शायद
लोग उतर रहे हैं डिब्बों से
परेशान हैं कण्डक्टर
मर गया कोई इंजन से कट कर,
मैं भी उतरूँ—
मुर्दे को देखूँ
किसी और के दुख में
अपना दुख छिपा लूँ
किसी बड़े दुख के गड्ढे में
ये खेत और खम्भे
डुबो दूँ।

पंख कटी रात

बिना नींद की यह रात–
बिना चाबी की यह घड़ी–
इसकी सुइयों के साथ,
काल की गति
शीशे के अन्दर
साँस घुटने से रुक ही गयी

यह भयावनी निशा–
मुर्दे की तरह काली,
काली और गहरी,
बिना पंखों के गीध की तरह
उड़ नहीं सकती,
और इसी कारण
यहीं स्थिर
मुझे काटने को मुँह फैलाती,
अपनी गति के साथ
मेरी गति बाँधना चाहती

ओ पंख कटे जटायु-सी रात!
मेरे भटके मन को रास्ता बता :
बन्द हैं फ़्लैट के सारे किवाड़
वरना वक़्त पूछ कर तुझे ज़रूर बताता

सीटी का दर्द

कितनी बार गया हूँ उधर की तरफ़—
चुनार मुग़ल सराय, आसनसोल और कलकत्ता...
सब जगह गया हूँ,
सब जगह वही भाप की गन्ध,
उठी आँखें और झुके सिगनल,
लकड़ी के डिब्बों में बन्द साँसें,
वही दिहात की औरतें और मारवाड़ी सेठ,
पूरी और अख़बार
वर्दी वाले बाबू
स्टेशनमास्टर की तख़्ती लगे कमरे,
सब कुछ वही
दिल उकताने वाला,
पर फिर भी
जब-जब यह सीटी बजती है—ललकार की तरह—
लगता है
रेल मुझी को बुला रही है।

सम्मतियाँ : एक पैरोडी

एक मैं—
जो कहता
कि मेरी कविता
न रुक सकने वाली
अन्तर की वाणी है,
बाबू जी का कहना है—
कि भारत भारती के बाद
हिन्दी में कुछ लिखा ही नहीं गया
और जो कुछ लिखा और छपा
वह या तो पागलपन है
या आवारागर्दी की निशानी है,
दोस्तों का कहना है—
कि यह सब बकवास है
इससे अच्छी चीज़
ब्रिज रमी और पलाश है,
विज्ञ आलोचकों का मत है—
कि चूँकि ये कविताएँ मेरी हैं
वे बेमतलब और बेमानी हैं।

पोखर का तट

पोखर का तट
पहुँच गये झट
हम बचपन के साथी नटखट

मेंड़-मेंड़ वह गाय चराती
राम रती की इकली बेटी
गाना गाती महुआ नीचे—
चलती थी छवि की पतंग सी,
जैसे हो यौवन की छाया
डोल रही सी,
रँग उसका कुछ काला-काला
बाल निराले
आँखें भोली
दाँत भले और पलकें भारी
लाल ओठ औ' अलसाया तन
कितने अच्छे थे उसके कट!

सोने की उगती वह उजली
धूप फैलती थी जब नभ में—
बस्ता रख कर नदी किनारे
कभी घूमते खलिहानों में,
आमों की डालों पर कोयल
विरह गीत गाती अनजाने,
हम गेहूँ जौ की बाली को
सो जाते रक्खे सिरहाने,
सपने में पण्डित जी का भय
आकर हमें जगा जाता झट!

सींकों के पिंजर में हमने
बन्द किये थे नये कबूतर,
जंगली, सुन्दर औ' भूरे पर,
देखा करते थे हम मिलजुल
संगी-साथी सारे जी भर,
उनकी बोली आ जाने का
यत्न किया करते थे तत्पर,
मैं औ' वह देखा करते थे
एक दूसरे के बिल्कुल सट!

आज सोचता हूँ मैं धीरे
धीरे कितना लम्बा जीवन
कैसे कट जाता चुपके से
बिता-बिता कर बचपन यौवन...

....

कभी पिताजी का हुक़्क़ा हम
दुबका देते थे मिल जुल कर
मूढ़े के नीचे को बस खट्!

पोखर का तट
पहुँच गये झट
हम बचपन के साथी नटखट

साल गिरह

एक साल और गुज़र गया,
मैं हो गया इकतीस का,
शरम लगती है
जब घर के कहते हैं
ये है बड़ा लड़का!

साथ के लड़कों को मिल गयी नौकरी,
साथ की लड़कियों की हो गयी शादी,
मर गये कहानी कहने वाले
महल्ला अपना लगता है नया-नया

शक्ल बदल गयी
सब की,
और मेरी भी,
बादल बदले, हवा बदली, चाँदनी बदली :
तुम कल के बच्चे—
मुझे बधाई देने आये हो?
चलो ख़ैर,
मैं ठहरा बड़ा-बूढ़ा
तुम्हारा भी शुक्रिया!

कटु सत्य

बुझ गये मेरे सामने
मेरे जलाए चिराग़,
ढह गये आशाओं के महल,
नहीं रहे दोस्त
रह गयी उनकी सिर्फ़ याद,
और मैं?
मैं जीवित हूँ
खुश हूँ– भला चंगा हूँ :
कितना निडर हूँ–
फिर भी जीवित हूँ :
कितना कायर हूँ–
इतने पर भी जीवित हूँ!

❑

कल्पवृक्ष
(1965)

मौसम के पहिले फूल का गीत

डहर के खेतों के बीच
एक फूल खिल गया

मौसम का पहिला फूल :
हलके फ़ाख़्तई रंग का
घास के फ़र्श पर
घाटी की परियों के हाथों बुना
अलसाया फूल

दूर उधर—
वन के पार,
शहर को सड़क जाती है
जहाँ से पहाड़ी बसें गुज़रती हैं
खुबानी और काफल की गन्ध से धुली
जो डाकिये के थैले की तरह
मुसाफ़िरों के ख़त बाँटती फिरती हैं;
हँसती युवतियों के ख़त
थके बच्चों के ख़त
हिसाब लगाते अधेड़ साहबों के ख़त;
कुमायूँ की रंगीन ऊँचाइयों से उतरती वे बसें
चीड़ की परछाइयों की रेशमी नींद में
अनायास चलती हैं स्टेशन तक।
और फिर रेल—
और आगे का संसार—जागा हुआ
फ़ैक्टरियाँ—मिलें—मज़दूर
वे मज़दूर
जो यहाँ से बाँसों के वनों को छोड़ चले गये

कपड़ा बुनने, लोहा गलाने, कोयला खोदने
वज़न ढोने और खाइयों में बैठने के लिए :
और इधर
इनकी धरती पर चैत आ गया
वर्ष का पहिला फूल खिल गया...

कहीं दूर
सात समन्दर पार
बन्दरगाहों पर लदान उतर रहा है
होटलों में वेश्याएँ ज़ेवरात छाँट रही हैं
सेनाएँ घमासान युद्धों में पिल रही हैं एक दूसरे पर
कसाईघर में मासूम जानवरों के गले काटे जा रहे हैं
और कहीं कोई
जेल के अहाते में
फाँसी के तख़्ते पर खड़ा है
लटकते रेशम के फन से घबराता हुआ
और कहीं कानून बनाये जा रहे हैं
और कहीं हत्या हो रही है
कहीं राजभवनों में प्रीतिभोज हो रहे हैं
और कहीं किसी का बच्चा उसी के सामने
भूख से दम तोड़ रहा है
और कहीं अदालतों में बड़े बड़े ज्ञाता
कानून के दाँवपेंच पकड़
गुनाहों को छोड़ रहे हैं
और कहीं जनता के अधिकारों पर
धुआँधार भाषण दिया जा रहा है :
कहीं कोई हँसता है
काँच की खनखनाहट की तरह;
और कहीं रात ही रात है
सूरज हमेशा के लिए डूब गया
और यहाँ
इन पहाड़ी खेतों के बीच
इन सबसे अनजान
एक फूल खिला है

ये फूल
कितना मुलायम—कितना कमज़ोर
इसकी कोई बिसात नहीं
इसे मैं अभी मसल सकता हूँ
वन के इस निर्दोष दीपक को
क्षण में बुझा सकता हूँ;
जब कि उन अभागों के लिए—उन निर्दोष देशों के लिए
जो भूखे मर रहे हैं या जो
स्टेनगनों से भूने जा रहे हैं
मैं कुछ नहीं कर सकता
सच, कुछ भी नहीं।

मगर शायद कोई ऐसा भी है
जो उनके लिए कुछ कर सकता है
और शायद जो
धरती की दीवारों पर फूलों का नोटिस चिपकाता है
रोज़ रात को;
नोटिस कि—
स्टेनगनों, जेलों, राजभवनों और निरपराध लाशों के अँधेरे में भी
फूल खिलते हैं
बच्चे हँसते हैं
युवतियाँ यौवन के पथ पर लजाती हैं
माताएँ बच्चों के चेहरे भूख में भी चूमती हैं
और इसीलिए
मैं अगर इसे कुचल भी दूँ
कोई और फूल खिलेगा
और फिर एक और फूल खिलेगा
और आँखें भर भर देखेगा
इस उदास बसन्त की दुपहरी को
उस ओर—
जहाँ वे काले काले जंगल
नीले नीले आकाश में धीरे धीरे बदल रहे हैं

झंझावात

रात की सड़कों पर तूफ़ान जा रहा है
घायल जंगली जानवर सा
खूँख्वार पर घबराया हुआ...

उसके भागते क़दमों की प्रतिध्वनि
मेरी खिड़कियों के शीशे चटख़ रही है
उसके भय से
रात की मासूमियत किसी गुनाह में गल गयी है,
अँधेरा—
अँधेरे से लड़ रहा है :

कभी-कभी हवा रुकती है क्षण भर को
किसी नर्तकी के पदचाप की तरह
जो फिर नाचने लगती है प्रलय नृत्य;
ठण्डे लोहे सा आसमान
तारों के नवजात मेमनों को खाकर
धरती पर लटक आया है :

चाँद आज अनदेखे ही छिप गया—
बादलों में कहीं दूर।
इस क़स्बे में तो आज अँधेरा है—सिर्फ़ अँधेरा—;
तूफ़ान के धक्कों से
वह भी पत्तों की तरह हिलता है, टूटता है, गिरता है

और जब थककर रुकता है कहीं
साँस लेने को
तो मुझे हड्डियों की कानस पर घड़ी से रक्खे
अपने दिल की आवाज़ सुनाई पड़ती है;
बस।

(एक विदेशी कविता से कुछ प्रभावित)

दुर्दिन

आज वही लहर आयी है—
वही—
जिससे मैं डरता था

भयंकर लहर;
सागर का वक्ष चीर दावानल उमड़ा है
घिरने लगा है गगन मेघों से आज फिर
अन्धी हो रही हैं दिशाएँ...
झंझावात से चाँद नभ की डाल से टूट गया
और उसके शत-शत खण्ड लहरों पर डूबी नाव के तख़्तों की तरह तैरने लगे

डूबने लगे मस्तूल मेरे जहाज़ के
हिलने लगा लंगर

यह कैसी लहर आयी है आज—
मैं अपने को रोक ही नहीं सकता?

विद्रोह के क्षण

बीते दिनों के बन्दियों ने
आज विद्रोह कर दिया;
सबके सब खड़े हो गये—एक लाइन में—
जवानों की तरह

इस धुँधली शाम के साये में भी
मैं इन सबको कितना पहिचानता हूँ!
एक-एक दिन
जिसे मैंने जिया है
जो मेरे साथ इतनी देर रहा है
जो मेरे साथ रोया और हँसा
जिसने मेरे साथ चाय पी, सिगरेट सुलगाई, सुनसान सड़कों पर क़दम बढ़ाये
(और इससे बड़ा क्या रिश्ता?)
और वे ही दिन
— जिन्हें मैंने जीवन खोकर जिया
जिनके लिए मैंने साँसों के सिक्के खोए—
मेरे सामने खड़े हैं
विद्रोही बनकर,
कहते हैं कि मैं कायर था!

प्रेम की अन्तिम विवशता
कि दूसरा भी तुम्हें प्यार करता है;
जीवन का खेद
कि बीते दिन बीतकर भी नहीं बीतते

प्रेत बनकर फिर सामने आते हैं
लांछना देते हैं
हक माँगते हैं
रुलाते हैं
आज की शाम की तरह

चाँद का शिकार

दार्जिलिंग से कोई तीस मील आगे–
चाँद के पकड़ने को
हम लोग उस रात जीप पर भागे;
हम पीछे-पीछे
चाँद आगे-आगे

बड़ा शरारती चाँद था– एकदम जंगली
बहुत बचा
बड़े पैंतरे दिखाये
झाड़ी में छिपा : पेड़ पर चढ़ा
कभी एकदम पास ही से निकल गया
आख़िरकार
फ़ौजियों की बैरक के पास
बाउण्डरी वाल के तारों में फँसकर
घाटी में गिर गया :
हम लोगों ने नीचे झुककर देखा–
चाँद नीचे पड़ा था

कैसा चाँद!
घायल–डरपोक और घिघियाता चाँद!
वह चाँद नहीं–
जो सिविल लाइन्स की सड़कों पर तुम्हारे मेक-अप पर हँसता है
वह नहीं–
जो सागर के तट बेंचों पर बैठ
भोली-भोली लहरों पर रौब लेता है,
यह वह चाँद नहीं था।

हम लोग उसे देखने नीचे उतरे
ऑफ़िसर्स मेस के लॉन पर
वह वहीं था
एकदम नंगा—ग़रीब—बीमार—पक्षाघात से पीड़ित चाँद
बैरकों के आँगन में
बीयर की खाली बोतलों से बूँदें तलाश करता हुआ
खाली सिगरेट की डिब्बियों से पन्नी के टुकड़े टटोलता हुआ
हर सिपाही की वर्दी में झाँक-झाँककर माफ़ी माँगता हुआ
युद्ध का बन्दी-सा चाँद
अफ़सरों के बीच में—
हवलदार मेजर की तरह सलाम करता हुआ चाँद!
मैंने मेस में खाना खाया
फिर कर्नल सॉब मुझसे बातें करता रहा
और उधर...
कुहासे की बल्लियों पर लटका चाँद
नट की तरह तमाशे दिखाता रहा
साहब लोगों का मन ख़ुश करता रहा
किसी अमीर की बारादरी में लटके गैस के हण्डे की तरह
वहीं बँधा
लाल-लाल जलता रहा :
और क्योंकि मैं उसे पहले से जानता था
मेरा मन—
उसके लिए रह-रहकर दुखता रहा

स्टेशन पर वर्षा

आमिनगाँव के टर्मिनस पर
रुक गयी गाड़ी,
डिब्बे की खिड़की पर
वर्ष की प्रथम वर्षा ने
दस्तक दी,
भर गया स्टेशन का बरामदा
साहब, रेल के बाबू और कुली...
....
नन्हे-नन्हे पैरों वाली
बूँदों की हज़ारों चिड़िएँ
टीन की छत पर फुदकने लगीं

ब्रह्मपुत्र के उस पार–
मौसम खुला अभी;
किसी शोख़ लड़की की तरह
नयी धूप
अनजाने मुसाफ़िरों के साथ चाय पी रही

अनगाये गीत

अन्तर की खाल पर सुइयाँ सी चुभती हैं
उधर पहाड़ियों के चरणों में बिछने को
थके हिरन की तरह :
उन घाटियों में—
श्यामल छायाओं के रहस्य से सन्ध्या बँधी है
वहाँ सौन्दर्य समय की सीमा से मुक्त हो गया है;
कैसा लगता होगा उन वनों में
बाँसों के झुरमुट पर पीला चाँद?
कैसे नहाती होंगी नदियाँ

अकेले में नंगी होकर?

इस पतझर के दिन भी
बिखरते पीले पत्तों के छाते में घिरे
तोतों के झुंड साल के पेड़ों पर कितने ख़ुश हैं
शायद उसी पहाड़ी वसन्त के कारण
जो इन्होंने इस वर्ष अभी तक नहीं देखा
(और शायद जिसे ये देख भी न पाएँ)
वसन्त तो दूर है अभी :

आज मैं भी उन गीतों की ख़ुशी में पागल हूँ
जिन्हें मैंने अभी तक नहीं गाया

उधर के वन

बोलो बोलो
तुम तो उधर की ही घाटियों से आ रहे हो न?
सच बोलो
क्या उधर के वनों में
अब भी कोयल बोलती है?

वन की पगडण्डियों पर
स्वर्ण चूर्ण सी धूप
क्या अब भी बिखरती है?
क्या अब भी वन की बालाएँ गीत गाती हैं
कुंजों में
हाथ में हाथ डाल...?

सच बोलो मेरे मीत,
सच
क्या उधर की घाटियों में
अब भी कोयल उसी तरह बोलती है?

वसन्त का कवि

वसन्त का कवि मर गया तो क्या?
वसन्त तो फिर भी आयेगा
कलियाँ तो फिर भी फूटेंगी;
उनका वक्ष तो फिर भी उभरेगा
पल्लवों का अंचल झकझोर :
दिशाएँ तो फिर भी शरमाएँगी
चाँद के इशारों पर,
फाल्गुन के बादलों की हवाएँ
फिर भी बहेंगी
अशोक और गुलमुहरों की पाँतों पर
माँझी की पतवार फिर भी नाचेगी
लहरों के फ़र्श पर इठलाकर :
और ये सब
बेबस कर देंगे किसी और को— फिर किसी और को
जिसकी कड़ी छाती तोड़
गीत फिर फूटेंगे
नीले पर्वतों की श्रेणियों से झरनों की तरह

वसन्त का कवि मर भी गया तो क्या?
वसन्त तो फिर आयेगा...

अपने कवि के प्रति

...अरे ओ पागल पक्षी!
ऐ भाई, मैं तुझसे एक बार फिर कहता हूँ :
तेरा यहाँ इस तरह रोना बेकार है
बिल्कुल बेकार

यह जंगल है बियाबान-निर्जन–
सूनेपन की सीमाओं से घिरा
भय की गहराइयों से ढका
यहाँ ऐसा कोई नहीं
जो तेरी पुकार सुने
तेरे आँसुओं को देखे
तेरा दर्द समझे
तेरे स्वर को लय और चरणों को गति दे
यहाँ ऐसा कोई नहीं...

यह जो तू आवाज़ सुनता है–
वह तेरी अपनी है
जो घाटियों के तट पर गिरकर
चट्टानों पर फिसल
फिर तेरी गोद में आना चाहती है,
ये बूँदें स्नेह की नहीं,
तेरे अपने आँसू हैं
जो डगर डगर घूम तेरे पास वापस आये हैं
ताकि जंगल के गिद्ध और सियार इन्हें चाट न जाएँ,
वैसे तू अकेला है–
एकदम एकाकी

यह नहीं कि इस जंगल में और कोई है ही नहीं,
हैं—बहुत हैं—तेरे जैसे—
वे भी तेरी ही तरह रोते हैं
सिसकते हैं,
और जो बड़े हैं
जिनकी चोंचें लम्बी हैं
जिनके पंख बड़े हैं
जिनकी आवाज़ ऊँची है,
वे अपने बड़प्पन के लिए जीते हैं—
हर पेड़ पर उनका क़ब्ज़ा है
प्रकाश की हर किरण वे निग़लते हैं
हवा के हर स्पन्दन को पकड़कर वे गुफ़ा में गाड़ देते हैं
और
सारा भय, सारी गहराई, सारा अँधेरा
छोड़ देते हैं तेरे लिए
ताकि वे खुद ऊँचे रह सकें
रोशनी में तेरा तड़फड़ाना देख सकें...

....

उनका तुम्हरा एक और रिश्ता है
अगर तेरा कोई स्वर चंचल होगा
तेरा कोई नया पंख निकलेगा
वे उसे चुरा लेंगे
अकेले में यदि मिल गया तू—
तेरी पीठ पर ठोकर लगायेंगे,
सबके सामने
कुत्ते की तरह तुझे बुलाएँगे
तुझे ज़बरदस्ती झुकाकर,
आसानी से ऊँचा बनेंगे :
ऐसे साथियों के बीच
रोने से क्या फ़ायदा?

मुझे पता है
तुझे मदद की ज़रूरत है
ज़रूरत है किसी ऐसे की—

जो तेरे पंख सहलाये
प्यार से उन्हें थपथपाये
कि तू उड़ सके
और जा सके नये देश—नये तट—
और तू इस लायक़ भी है
कि तुझे उड़ना सिखाया जाये
तेरे पंखों को सँवारा जाये
वे नये हैं—निराले हैं—
पर मैं एक बार फिर कहता हूँ
कि इस जंगल में ऐसा कोई नहीं
जो तेरी आवाज़ सुने

तू उठ,
कमर कस
इन पंखों को ख़ुद ही सहला
इन स्वरों को ख़ुद ही सँवार
याद रख
तू अकेला नहीं है
निराशा तेरी संगिनी है
पीड़ा तेरी मित्र
भय तेरा विश्वास :
तू उठ
आगे बढ़

देख
अगर तू उठेगा
और उड़ेगा... उ....ड़...ता...र...हे...गा...
तो जंगल दर जंगल होता होता
उधर की अमराइयों में पहुँचेगा
जहाँ तेरा स्वर सोने का स्वर कहलाएगा
जहाँ तेरी लय पर परियाँ नाचेंगी
और ये ठोकर लगाने वाले बूढ़े शक्तिशाली गिद्ध
तुझे अपने पंखों पर बिठा
परियों की रानी के पास ले जायेंगे

—जो हीरे औ' मोती के महलों में रहती है—
और वह रानी
चम्पा के फूलों की अपनी सेज पर तुम्हें बिठाएगी
दासियाँ तुम पर चाँदी के चँवर डुलाएँगी;
तेरे मरने पर
तेरे कंकाल को
सोने के पिंजरे में रक्खा जायेगा
और हर इतवार को
दफ़्तर के बाबू, मज़दूर और टूरिस्ट
टिकट लेकर
उसे देखने जायेंगे..
और अगर तू नहीं माना
और इसी तरह रोता रहा
तो तू यहीं मर जायेगा
अपनी साँसों के गड्ढे में
तेरे पंखों का कफ़न
तुझे ढक लेगा
और ये बड़े-बड़े उदार पक्षी—
कहकहे लगाकर
तेरी लाश को नोच-नोच खाएँगे
मँडरा-मँडरा कर घाटी में गूँजेंगे...
....
....

यक़ीन कर
तेरी ही तरह कितने ही तेरे जैसे
यहाँ रोते-रोते
इसी तरह खाये जा चुके हैं;
लाश....दावत...गिद्ध
ये सब सच हैं।

वसन्त : एक अनुभूति

दिशाओं के वृक्षों पर फाल्गुन फूट पड़ा

....

वसन्त के प्रकाश में
अपने दुःखों को देखता हूँ
जैसे रात के अँधेरे में
वन की लकड़ी जलाकर
सीता ने लवकुश का मुख
पहिली बार देखा था

वसन्त : एक मनःस्थिति

ये पुराने ब्लेडों के ढेर
पुरानी धोबी के हिसाब की किताबें
सब जैसे एक तार हैं
जिसमें बीते दिन पिरोए पड़े हैं :
दुपहर-शाम-रात—कितनी ही
बँधी पड़ी हैं इनके जाल में
मुर्दा मछलियों की तरह
सफ़ेद पेट लिये

वे सारे दिन
जिनमें कोई सोने के झरनों जैसे केश वाली युवती
मुझे वनों में बुलाती रही
ताकि हम दोनों
चाँदी की प्यालियों में फूँक मार-मार कर
सोने के गुब्बारे उड़ाएँ,
वसन्त के सितार पर
खेत-खेत गीत गाएँ,
और वे दिन जिनमें
मैं बरामदे में बैठ
सिर्फ़ हजामत बनाता रहा
और बाहर सड़क पर
ठुकराया निमन्त्रण लिये
घायल साँप-सा
वसन्त का पीला दिन फुफकारता रहा

वसन्त

वसन्त फिर आ गया
फिर...

काश,
मेरा दुःख कोई बाँट सकता...

एक थी हिरनी

(एक लोकगीत का रूपान्तर)

हरे-भरे ढाक के पेड़ के तले
हिरन ने हिरनी से पूछा :
'तू क्यों उदास है री?
चरागाह सूख गये?
देख लिया किसी शिकारी ने तुझे?
या
ऊब गया मन तेरा इन कुंजों से?'
हिरनी चुप रही
फिर बोली :
'इनमें से कुछ भी नहीं :
आज राजा के लड़के की वर्षगाँठ है
हिरन का मांस पकेगा
तुम मारे जाओगे
इसलिए उदास हूँ।'

राजा के बधिकों ने हिरन को मार दिया
रसोइए उसके शरीर को ले गये
केवल खाल रह गयी महल की दीवारों पर
मशाल-सी टँगी।
हिरनी गयी रानी के पास :
'हे रानी,
हिरन के प्राण तो आपके हो ही गये
उसकी खाल मुझे दे दो
मैं डाल-डाल उसे टाँगूँगी
समझूँगी—मेरा प्रियतम अभी जीवित है

हे रानी—ओ माता
वह खाल मुझे दे दो।'

'ना हिरनी ना
खाल तो न मिलेगी तुझे
उससे तो खंजड़ी बनेंगी राजकुमारों की
ना हिरनी ना...'

खाल न मिली हिरनी को
उसकी खंजड़ी बनी
राजकुमारों ने सोने के आँगनों में उसे बजाया
और उसकी आवाज़ के साथ-साथ
वह हिरनी नाची
नाची
और नाची....

वनों में वसन्त आया
वर्षा में साँझ घिरी
जब-जब वह खंजड़ी बजी
हिरनी नाचती रही

वह, जो नहीं आयी

वसन्त गया
पर फिर आया
खिड़की से झाँकता;
चाँद छिपा
पर फिर निकला—इस बार और उजला :
वर्षा की ऋतु
फिर उमड़ी
सोने के रेशम सी धूप
फिर बिखरी :

पर कोई ऐसी भी थी—
जो इस आँगन से एक बार जाकर
फिर नहीं आयी

बूढ़ा पाखी

जीवन का पेड़
रात और दिनों के पत्ते
एक-एक कर सब टूट गये...
बस–
प्रेम का बूढ़ा पक्षी
बैठा रहा;
साँसों की सूनी डाल से चिपटा

आत्मघात

बरसों पहले—
इसी नगर में
मेरे नाम का
कुछ-कुछ मेरी ही सूरत का
एक व्यक्ति रहता था
जो बड़ा अजीब था :
वह भूखा था
अकेला था
उसके लिए कहीं कोई जगह नहीं थी
ज़्यादा पके फल की तरह
उससे सब बचते थे,
हँसते थे
फ़ब्तियाँ कसते थे
और वह शरीफ़
चुप था :
सिगरेट की पन्नी की तरह
हवा के हर झोंके के साथ उड़ता था

मैं भी उसे जानता था
उससे नफ़रत करता था
और क्योंकि वह मेरी ही सूरत का था
मुझे उसे देखकर शर्म आती थी
और इन्हीं सब कारणों से
एक रात
मैंने उसकी हत्या कर दी
ओफ़्!
उसकी लाश को अँधेरे में

चुपचाप गाड़ दिया
नदी के उस पार

सुनते हैं आप?
आपको याद आयी उसकी
नहीं
लोग उस मुर्दे को भूल ही गये
वह वहीं नदी पर पड़ा रहा
और मैं
बिना डर और लज्जा के
बाहर निकला
सृष्टि की धरोहर में
अपना हिस्सा माँगता रहा
पके पेड़ की तरह
तुम सबको हिलाता रहा...
और आप सब लोग खुश—
मैं शक्तिशाली हूँ
चरित्रवान् हूँ
प्रतिभा हूँ
और न जाने क्या-क्या...

मगर एक मैं हूँ
जो उस मुर्दे से अब भी डरता हूँ;
ऐसा न हो कि वह लाश
कहीं जीवित हो जाये
और फिर से मेरी शक्ल का
कोई पतित और शरीफ़ आदमी
सड़कों पर घूमने लगे
....
....
और इसी कारण
कभी-कभी मैं उस लाश पर से मिट्टी हटाता हूँ
उसके दर्द भरे, व्यंग्य से दबे होंठों को देखता हूँ
और दया, घृणा, भय व स्नेह से
उसे और गहराई में दबा देता हूँ...

सामने का फ़्लैट

कभी-कभी
सामने के फ़्लैट की ज़िन्दगी
मुझे अपनी ओर खींचती है,
नदी के उस पार खड़े
माँझी के गाने की आवाज़ की तरह

अफ़सोस!
यह सब मेरा अविवेक
ज़िन्दगी सब जगह एकसी;
वह फ़्लैट भी एक रद्दी की टोकरी ही है
जिसमें बराबर ज़िन्दगी फाड़-फाड़कर फेंकी जा रही है :
—ड्राइंग रूम—डाइनिंग टेबुल—बाथ रूम—
सब जगह
खोए बच्चों की तरह
ज़िन्दगी किसी को ढूँढ़ ही रही है...

पाँच बज गये

पाँच बज गये

दफ़्तरों के पिंजरों से
हज़ारों परिन्दे
(जो मुर्दा थे)
सहसा जीवित हो गये...
पाँच बज गये...

आकुल मन
श्लथ तन
....
भावनाओं के समुद्र
शब्दों के पक्षी
गीतों के पंख खोल
उड़ गये....उड़ गये...
पाँच बज गये

रिक्शे वाले

साँस की रफ़्तार के तूफ़ान में उड़ती हुई
एक गठरी चाम की
हड्डियाँ वे ढेर सारी
चन्द बूँदें ख़ून की :

पुतलियाँ कुछ काठ की
मुस्कुरातीं, भौं चलातीं
सामने फ़ुटपाथ पर बत्ती जलातीं
और—बाकी हरकतें इंसान की
एकदम बिल्कुल वही

छुट्टी

अरे ओ मेरे मन!
मुझे क्षमा करना
इधर इतना व्यस्त रहा
मित्रों से—ऑफ़िस से—(किस-किस से!)
कि इसी कमरे में रहते हुए
इसी बिस्तर पर सोते हुए
तुमसे मिल न सका
दूसरों की चिन्ता में
तुम्हारा ध्यान ही न रहा...

आज तो सारी शाम
अकेला ही रहूँगा,
तुम्हीं से बातें करूँगा
आराम से—इत्मीनान से
गप मारूँगा,
उमर ख़ैयाम और कालिदास
पढ़कर तुम्हें सुनाऊँगा :
अलबम देखूँगा
पुरानी चिट्ठियाँ पढ़ूँगा
कमीज़ें गिनूँगा
और फिर सारे दोस्तों को गालियाँ दूँगा
उनके जाने की खुशी में
सीटियाँ बजाऊँगा...
....

उदास दिन

आज फिर दिन उदास
पीली बीमार-सी धूप
क़र्ज़दार की तरह बादलों में छिपता सूरज

अजब-सा लगता है न
अरसे से उजले दिन का
इस आँगन में न आना?

सोन कोक सी धूप

योजन विस्तृत सिकता के तट
सोन कोक सी धूप
—बैठ गयी फैला पंख—

चाँदी की मछली-सी
शरद् की गंगा को
चोंच में लिये...

खेत पके

चैत के दिन आये—
खेत पके

बरस बाद
कैसे फिर
बावरे-से
आये दिन;
अधर-अधर
फूट पड़ा
मधुर-मधुर
कम्पन;
टूट पड़े बन्धन वे—
कब-कब के
खेतों के
सागर में
फ़स्लों के
फेन उठे,
धरती के
आँगन में
शाख-शाख
फूल खिले :
खेत-खेत घूम-घूम परियों के—
चरण थके

चैत के दिन आये—
खेत पके

बड़े आदमी का बजट

जीने का ख़र्चा
फिर भी कम,
एक वक़्त खाना
(सिर्फ़ लंच–
उबली तरकारियाँ–सूप–फ्रूट और टोस्ट)
नाइन नाइन नाइन की सिगरटें
एंटी बायटिक के इंजेक्शन,
थोड़ी चाय–
दूध कम
चीनी कम,
चन्दा और वज़ीफ़े?
बुरी आदतें सब ख़त्म!

मरने का ख़र्चा
फिर भी ज़्यादा–
ढेर सारे बाँस
ठेले भर लकड़ियाँ
क़ीमती कफ़न,
ऊपर से घी, कपूर, चन्दन;
रोने वाले
ढोने वाले
रिश्तेदारों को तार देने वाले
बिल–अख़बार में ख़बर–फ़ोटोग्राफ़
और फिर मीटिंग में शोक-प्रस्ताव
कल ईवनिंग को
स्कूल में फंक्शन...

....

....

स्पीचों से पहले बजेंगे रिकॉर्ड—
लता, रफ़ी और
शमशाद बेग़म

कन्वोकेशन

अन्तिम विदा से पहले की मुलाक़ात
मरने से पहले वाली रात
एक साथ कितने गाउन—कितने हैंडशेक—
कितने कहकहे—

....

तूफ़ान में पंखुरियाँ बिखरने से पहले
खिले फूल की याद

कुछ ऐसे भी होते हैं

कुछ भँवरे ऐसे भी होते हैं जनाब
कि जो दिन-भर खेलते रहते हैं
एक कमल से—;
और रात के आते ही
बँध जाते हैं किसी दूसरे कमल से।
कुछ ऐसे भी परवाने हैं जो
ख़ूब मँडराकर—मँडरा-मँडराकर—
किसी एक शमा पर शाम को
अखीर में जल जाते हैं
किसी दूसरे चिराग़ से।

जी जनाब,
भँवरों और परवानों में
कुछ ऐसे भी होते हैं

चन्द्रोदय

लो, चाँद तो निकल आया
यहाँ से देखो—पूरा दीखता है
ताड़ के दो पेड़ों के बीच...
....
बस और क्या कहूँ तुमसे

एक स्मृति

आँगन में चाँद निकल आया...

....

वर्षों बाद
याद आ गया—
बचपन में—बहुत बचपन में—
दिहात से गंगाजी के मेले को जाना
बैलगाड़ियों का रेंगता शोर
पहिये—चाबुक—पगड़ी और काले शीशम
और रात को रास्ते में
इन सबके ऊपर—
चाँद का निकलना

नदी पर चाँद

नदी पर चाँद
आज फिर निकला

अँधेरे के जाल में
चाँदी की मछलियाँ फँसने लगीं पानी पर :
चाँदी की ढाल औ' तलवार लिये
रात का सिपाही
मुझसे लड़ने फिर निकला...

नदी पर चाँद
आज फिर निकला

चाँदनी के पाल

सिन्धु का तट : साँझ का शृंगार
माँग के सिन्दूर-सा
                    वह चाँद
...दर्द के स्वर
                    माँझियों के;
डोंगियाँ वे रात की–
औ' चाँदनी के पाल

डूबता चाँद

क्षितिज पर डूबने लगा चाँद–
रोक ले इसे कोई

आज की रात यहीं रुक जाए
आज चाँद न छिपे
आज तो हम यहीं बातें करते रहें
...इसी तरह

मोम के चेहरे

...और
होटल की खिड़की में से चमकते हुए
मोम के पुतलों जैसे पीले चेहरे
चुंगी के अधबुझे लैंपों जैसे :
चेहरे–
जो ज़बर्दस्ती हँसी हँसते हैं
झूठी हँसी
और जिनकी खिलखिलाहट
बन्द कमरे में रिवाल्वर की गोलियों की तरह
दीवार से टकराती है;
जो किसी डूबते हुए जहाज़ पर
एक-दूसरे को लूटते हुए यात्रियों की तरह खुश हैं
अपने अन्त से अनजान......

खुले दिनों की याद

मेरे पालतू मुरगे को
खुले दिनों की याद आज फिर आयी;
उन दिनों की–
जब वह पंख फैलाकर– वन-वन–
इन्द्रधनुओं के तट पर विचरता था
चाँदनी के द्वारों पर दस्तक देता था......

वह उछला
पिंजरे की तीलियों से टकराया
ज़ोर-ज़ोर से आवाज़ें भरीं
गुँजा दिया बरामदा
लाल-लाल चोंच निकालकर मुझे काटना चाहा
पंख फड़फड़ाए
हिला दिया पिंजरा

कुछ देर इस तरह करता रहा :
अन्त में थककर
पंखों में गर्दन गुड़ा
बैठ गया बेचारा

इतिहास

कल रात भारी आँधी आयी
सब तस्वीरें उड़ गयीं कमरे की :
मनु, व्यास, उपदेश देते कृष्ण,
ईसा और बुद्ध,
टैगोर, टालस्टाय और गाँधी–
सब उड़ गये,
खिड़की के रास्ते
अन्धड़ में बह गये, ...
झूठे
बड़ी बड़ी बातें करने वाले......
सारे कमरे में
सिर्फ़ एक तस्वीर शेष रही
किसी एक औरत की :
फटे आँचल में
यौवन ढके,
झुकी आँखें : डरा चेहरा : कुण्ठित मन
अतीत से भयभीत
वर्तमान से पीड़ित
भविष्य से आस्था रहित
मरने से फिर भी डरती
स्त्री...

बस, एक वही तस्वीर टँगी रही
उड़ते मनु और व्यास को देखती रही
आँखें फाड़-फाड़ हँसती रही
वह सच्ची थी...

विदा की शाम

आज की सुबह–कितनी ताज़ी
चाय टोस्ट और जैली
तुम्हारी खिलखिलाती हँसी–

और अब?
स्टेशन, टैक्सी और प्लेटफ़ार्म टिकट
झुके सिगनल : हिले हाथ
अकेला वापस बरामदा, दिन ढले भी बारिश....
मोमबत्ती पर सिमटते पतंगे :

यह आज की ही शाम है क्या?

दो हंसों की कथा

गाँव के बाहर जो झील है न?
सेमल के दो पेड़ों से आगे—
पहले वहाँ बड़े कमल खिलते थे
पहले वहाँ राजहंस रहते थे :
कहते हैं—
वहाँ एक हंसों का जोड़ा था
वह रात-दिन साथ-साथ रहता था
साथ-साथ उड़ता, साथ ही सोता
साथ-साथ कमलों की लहरों पर तैरता।
उनका स्नेह देखने को
राहगीर रुकते
उनकी प्रणय कथा
राजकुमार सुनते

राजा की रानी थी
एक ही सयानी थी
हंसों की कहानी से
मन-ही-मन जलती थी :
एक दिन : सोने-सा उजला दिन
—मोती से टके थे हंस झील के नीलमं में—
रानी ने राजा से शिकार पर कहा—
    'इन हंसों में से
    एक को मार दो
    इनके मरने पर लोग
    हमारे-तुम्हारे प्रेम की ही चर्चा करेंगे!'
राजा ने मना किया

रानी ने रूप भरे
रुदन किया;
राजा ने तीर लिया
रोते-रोते हंसों के जोड़े पर छोड़ दिया
और जो हंसा था न?
टूटे तारे-सा
धरती पर आ गिरा
और हंसिनी तड़प-तड़प राजा के पास आयी
और मरे हंसा के पंखों की बाँहों में
सिमट-सिमट रोने लगी।
जितने भी हंस थे उस झील के—
सारे के सारे
इकट्ठे हो गये
और राजा से कहने लगे :

> 'हे राजन्!
> तुमने यह क्या किया?
> विरहिणी हंसिनी को
> जीवित ही छोड़ दिया!'

राजा ने लज्जित हो
रोते-रोते
दूसरा बाण लिया
हंसिनी के लिए,
पर उसकी रानी ने
दुष्टा ने
हँसते-हँसते तीर लिया
फेंक दिया
कहने लगी :

> 'अरे इस चिड़िया को
> जीवित ही रहने दो
> यदि इसका प्रेम सच्चा है
> तो यह स्वयं ही मर जायेगी!'

राजा को क्रोध चढ़ा
रानी है राक्षस है?
तीर लिया

धनुष लिया
रानी की छाती चीर
तीर आर-पार हुआ;
हंसिनी तो ख़ुद ही मर चुकी थी तब तक :
राजा ने उसी तीर
दोनों पक्षियों की
समाधि बनवा दी :
ठीक उसी दिन से
न वहाँ हंस रहते
न वहाँ कमल खिलते

और आज भी
जब दुलहिन डोली पर पहिली बार आती है
और झील के पास से गुज़रती है
तो रथ रुकवाकर पूछती है :
'ओ गाड़ीवान,
इस झील का पानी गहरा है
नीला है
इसमें कमल नहीं खिलते?'
तो गाड़ीवान बूढ़ा
वही कहानी कहता
जो हम बचपन में सुनते थे
'बहुत दिन हुए
यहाँ हंसों का एक जोड़ा रहता था...'

बरसों पहिले

एक दिन—
प्राची के तट पर
ऊषा का स्वर्णिम रथ
क्षण-भर को रुका था....
एक बार—
चाँद की फैली बाँहों में
दिशाओं के आँगन में
रात बँधी थी...
एक साँझ—
वन का वक्ष
वसन्त की लपटों से घिरा था
शाख-शाख
यौवन के भार से काँपी थी
एक बार—
वर्ष की प्रथम वर्षा की दोपहरी को
कारे-कजरारे मेघों की साँवली छाया में
सारस का एक जोड़ा
किसी एक ओर उड़ा था...

बरसों पहिले
एक दिन
मैंने उसे पहिली बार देखा था...

आज फिर

आज फिर
झील के किनारे
हंसों के जोड़े नाचे

आज फिर
दिशाओं की किशोरियाँ
शुभ्र हेम खण्डों के पंख खोल
चाँद के राजकुमार के घर गयीं;
आज फिर
लहरों के केशों में किसी ने
श्वेत कमलों के गुच्छे खोंस दिये,
अशोक के वृक्षों की छाया में
वन की परियाँ लाज से फिर रँग गयीं...

डोंगियों की साँझ की तरह
मेरे हृदय के क्षितिज पर तुम्हारी याद आज फिर घिर आयी,
आमों के पेड़ तले
जुड़े अधरों के– गुँथी बाँहों के–
कल्पित चित्र आँखों में फिर उतरे...

झील के किनारे
हंसों के जोड़े
आज फिर नाचे...

कुतुब का पिकनिक

बर्फ़ के अरबी घोड़े
रेत के सजीले घुड़सवार
ताँबे के बूढ़े सुलतान
मोम की हसीन बाँदियाँ
सोने की उदास बेग़में
ख़ून की मशालें
कहाँ गयीं?

ढाल और तलवार का चौखटा तोड़
इतिहास पिघल गया :
बारादरी और महल
खवास और जल्लाद
नौबतें और जंग के ढोल
फ़रमान और फ़रियाद
नहीं रहीं :
लैस में से झाँकिए—
टूरिस्ट बसें, कुलचे पटूरे, आइसक्रीम
घास के लॉन
कैमरे और स्कर्ट
बूढ़े चौकीदार और जवान साड़ियाँ...

बिज़नेस

किताब छपी
किताब बिकी;
स्मृतियों पर—साधों पर—
बुक स्टाल के बूढ़े बाबू की कलम चली,
छन्दों पर—स्वर पर—लय पर
कमीशन लगा : कैशमैमो कटी :
और मेरी कविता
पुराने रंगीन काग़ज़ की साड़ी में सिमटी
सुतली की गाँठ में बँधी
सिर झुकाए—भले घर की लड़की की तरह
किसी पराये घर को गयी

मज़दूरों की लड़कियाँ

मेरी कविताएँ
मज़दूरों की लड़कियाँ हैं
शोख़, शरारत भरी, भोली;
इससे पहले कि मैं उनके केश सँवारूँ
उनकी आँखों में काजल के डोरे डालूँ
वे महल्ले की गलियों में निकल जाती हैं
किलकारी भरती हैं
हर आने-जाने वाले पर
फब्तियाँ कसती हैं,
अपने नंगेपन की बंसी से
उनका मन फँसाती हैं :

कौन जाने,
इन्हें कभी सलीका न आये,
इन्हें समाज में कभी भी सही जगह न मिले,
इनका दुख-दर्द कोई भी न बँटाए;
कौन जाने,
ये सचमुच ही मज़दूरों की लड़कियाँ निकलें

असमर्थता के क्षण

घुड़दौड़ के घोड़ों जैसे भागते ये आश्विन के मेघ
किसी सुल्तान के रंगीन लिबास सा यह वन का सूर्यास्त...

कैसे बाँध लूँ छन्दों में इन्हें?
अभिव्यक्ति तो अनुभूति की चरम सीमा है :
कितना आनन्द है सृष्टि में–सौन्दर्य, संगीत, प्रेम, यौवन–
हम कितना कम अनुभव करते हैं
कितना कम!

(एक विदेशी कविता से कुछ प्रभावित)

रात रात भर

रात रात भर बादल बरसा
रात रात भर
हवा चली

रात रात भर शाखें टूटीं
रात रात भर
झरी कली

रात रात भर बादल बरसा

स्नो फ़ॉल

बर्फ़–
बर्फ़–
सब तरफ़
बर्फ़

घास फूस पौधे
सब के सब
बर्फ़ में दबे,
कहीं कहीं
कोई झाड़ी की फुनगी झाँकती सी
सफ़ेद बिस्तर में
छोटे छोटे बच्चों के मुँह निकले

दब गया–
रास्ते का रास्ता
धूप के साथ-साथ
बर्फ़ के गड्ढे में;
बचे रह गये
दो पेड़ देवदार के

दो पेड़,
–चारों तरफ़
सफ़ेदी के अँधेरे में
काले चिराग़ से

डाक बँगले की खिड़की

डाक बँगले की खिड़की में–
जड़ दिया
            किसी ने
                        आज आसमान

नीले नीले कैनवास पर
उभार दिये फूल गुलमुहर के
कलियाँ दुपहर की,
निकाल दीं शाखें छितराईं कुछ–लम्बी लम्बी,
सोने की धूप के सहारे
टाँग दिये कहीं कहीं बादलों के टुकड़े....

रंग बिरंगी तूलियों से
रंग दिया
            किसी ने
                        आज आसमान

रास्ते का स्टेशन

बरसात की रात
रात का सफ़र
सफ़र का चाँद

पता नहीं कहाँ रुक गयी गाड़ी
बेतरतीब स्टेशन की इमारत
पत्थरों की साँवली दीवारें
बुझती बत्तियों के द्वार
काँ...का...ठे...र...
किसी ने कहा—
गार्ड ने दिखाई रौशनी
अपना गाँव गया और पीछे छूट
कोई देवदास
यहाँ नहीं उतरा

कछार में काँसों पर—
मीलों बिखरी चाँदनी :
इतना सौन्दर्य सहा नहीं जाता;
खिड़की बन्द : नयी सिगरेट
अब आयेगा गंगा का पुल

पहाड़ी रास्ता

मैं कभी वसन्त था
पर मेरे चरण रुके
किसी एक पेड़ के पास
और बस
वहाँ खड़े-खड़े
मैं पतझर हो गया

काश,
मैं भी इसी पहाड़ी रास्ते की तरह
कहीं को जाता रहता!

कठोपनिषद्

“इंसान ने जो ख़ुद से लड़ाई छेड़ी है
उसे वह इस तरह बीच में नहीं छोड़ेगा,
अगर फाँसी, दंगों और बन्दूकों से
वह नहीं मारा जा सका पूरी तरह
तो वह और बड़े-बड़े हथियार बनाएगा
ताकि मैच फ़ाइनल हो।
यह बात और है कि बड़प्पन के इस निभाने में
ये लिपस्टिक की मुस्कराहटें, गाउन–पाइप
मॉर्निंग पेपर और संडे का मेटिनी शो
अलसाये पार्क में तीसरे पहर का घूमना
सब ख़त्म हो जाये...
प्रतिष्ठा का मूल्य तो चुकाना पड़ता ही है आख़िर!”

“हे नचिकेता” यम ने कहा–
“इस संसार में जो कुछ भी है
मनुष्य उस सबमें श्रेष्ठ है
प्रतिष्ठा के सामने वह प्राणों को कुछ नहीं समझता”

कल्पवृक्ष

सुबह सुबह रेडियो ऑन
युद्ध की ख़बरें...

छिः तुम कच्चे दिल रोते हो?
कायर!
युद्ध में ऐसा ही होता है
बैण्ड ऐसे ही बजते हैं
जवान ऐसे ही जाते हैं लाम पर
क़दम से क़दम मिला कर :
बच्चे?—बच्चे तो यूँ ही रोते हैं—यूँ ही—
शायद उन लौह पंखी पक्षियों के कारण
जिनके गर्भ से अण्डे गिरते हैं
और जिनके धरती के छूते ही
धुओं के अम्बार के प्रेत—
सहसा जीवित हो उठते हैं
जो हँसते हैं
चीख़ते हैं
डराते हैं—
तोतों के झुंड; उड़ते कबूतर...
....
युद्धों में ऐसा ही होता है
बच्चे तो यूँ ही रोते हैं—यूँ ही
इस क़स्बे के बाहर कहीं सड़कों पर
पलटनें की पलटनें चली जा रही हैं :
रेल की पटरियों पर—
भूखे सुस्ताते चाँद को कुचलती हुई

बारूद से भरी रेल गाड़ियाँ—
भयंकर जल्दी में ठिलती जा रही हैं,
क्यों जा रही हैं?
कहाँ जा रही हैं?
मुझ से पूछते हो?
मुझे खुद पता नहीं...

हर देश में
क़स्बे क़स्बे गाँव गाँव
किसान और कुली नंगे हैं
पर फिर भी चमचमाती वर्दियों के तमगे लगाये
फ़ौज के आला अफ़सर
किसी के हाथ में शतरंज के मुहरों की तरह
दिन रात पिटते हैं;
बादलों के हाथों से—
सुपर सॉनिक छीनते हैं पक्ष का सन्देश
काम और रति
दोनों को ही भस्म करता है पहाड़ों पर कोई—
हाय!

क्यों लड़ते हैं देश?
कैसे हैं वे सिद्धान्त
(जिन पर एकमत न होते हुए भी)
लाखों आदमी यूँ ही मर जाते हैं
बिना अपनी इच्छा के?
वह कैसा कल्पवृक्ष है
जहाँ बिना माँगे यह सब मिलता है?
वह कैसा कल्पवृक्ष है—
जिसके फूलने के लिए
चाँद, वसन्त, संगीत, यौवन—सबका खाद दे दिया
जोत दीं कलाएँ
सिर्फ़ इसलिए कि यह फ़ौलाद का पेड़ उगे
ये बिजली की कोपलें निकलें
ये मशीनों के पक्षी बोलें :

और फल?
फल के नाम—

लड़ाई में मरे लाखों नामों की सूचियाँ
दुश्मनों के कैम्पों में बन्दी नामों की सूचियाँ
स्तन कटी गर्भवती माताओं की सूचियाँ
जले खलिहान, उजड़ी इमारतों की सूचियाँ
मुर्दा क्लब, होटल और नाचघरों की सूचियाँ
और
निकली आँखों और ऐंठी जीभों के चित्र
मरने से पहले के मरने के चित्र
और
फिर प्लेग और मौत
फिर भुखमरी और मौत
युद्ध की मौत और युद्ध के बाद की
शान्ति की मौत!

देश देश
सीमान्त के बादलों में फ़ौज के कैम्प लगे हैं
बारूद के अँधेरे में कोई किसी को याद करता है
और यकायक रात को
कोई किसी से कहता है—फ़ायर!
और डर से तुतलाती मशीनगनें बोलने लगती हैं
ट ट् ट् ट् ट् ट् ट ट् ट् ट ट् ट ट ट् ट् ट् ट ट ट ट ट् ट् ट्
और पहाड़ के उधर कोई कहता है मात्र
हाय...
और बर्फ़ की लाल हँसी
किसी के घर पहुँचती है
तीसरे पहर के अलसाये डाकिए के साथ
किसी अन्धी बूढ़ी की आँख का तारा
किसी की मुस्कराती माँग का सिन्दूर
किसी बाहर खेलते नादान बच्चे का अधेड़ बाप
जिसे फ़सल पकने पर घर आना था...छुट्टी पर...

और देश देश
टाउन हाल के सामने बैण्ड बजते हैं
भर्ती होती है
जीत की पार्टियाँ होती हैं
तमगे बँटते हैं
पराजित देशों का बँटवारा होता है
गोल मेज़ कमरों में—केक की तरह

सुबह सुबह रेडियो ऑन
जंग की ख़बरें...

❑

आदिम राग
(1967)

शमशेर बहादुर सिंह व विनोद चन्द्र पाण्डे को

पेड़ सहसा हो गये लकड़ी
रास्ते धूल और जूते
चाँद बना सोने का प्रेत
नदी घर से निकली
आवारा औरत

फिर बादलों ने बरसना बन्द कर
पिघलना शुरू किया :
आसमान का छाता
मेरे ऊपर होने लगा बन्द
फूल और चिड़ियों में
कुछ भी नया न रहा

सुबह है हजामत का वक़्त
दुपहर फ़ाइल खुली छोड़ने का,
शाम की गुलेल पर
मुझे कोई फेंकता वापस;
रात को सोता घोड़ा
खड़ा खड़ा

इंश्योरेंस की रसीदें, पास बुक
घर पर लाई फ़ाइलें
दौरे की तैयारी

खिड़की से बाहर झाँकना क्षण भर :
अब तुम्हारी याद आने के लिए
ज़रूरी नहीं चाँद

सामने फ़्लैट पर
जाड़ों की सुबह ने
अलसा कर जूड़ा बाँधा;
नीचे के तल्ले में
मफ़लर से मुँह ढाँप
सुबह ने सिगरेट पी

चिक पड़ी गोश्त की दुकान पर
सुबह के टुकड़े टुकड़े किये गये,
मेरे बरामदे में
सुबह ने अख़बार फेंका;
इसके बाद बम्बा खोल
माँजने लगी बर्तन

किनारे की बस्तियों से
कमर पर गट्ठर लाद
सुबह चली नदी की ओर;
सिगनल के पास
मुँह में कोयला भरे
लाल सीटी देती
सुबह पुल पर गुज़री

पंख कटी बारिश
चाँद का संगमर्मर
लॉन पर बिछे कहकहे
केक पर चिपके इन्द्र धनुष
पोस्टरों में जलता शाम का शव

बीयर के समुद्र में
स्तनों के तट
नितम्बों की मछलियाँ
कमर के रेलिंग
और इन सबके ऊपर
निरन्तर हँसता कोई उदास...

झीलों हँसते गुलाब
चाँद फुसलाती लहरें
एक एक दो दो—लौटती चिड़िएँ
डूबते सूरज का देश

छुट्टी के दिन आधी रेट पर पिक्चर
दफ़्तर, ओवर टाइम, सिगरेट :
गली तक जाती ट्राम
और बीवी के बासी होठों के बीच
किसी पराये देश के युद्ध पर
झूठी बहस

पुराने दर्द की तरह
दिन कल फिर उट्ठेगा

सड़कों के फ़र्श पर
सूखने लगी शाम की शराब;
एक भयभीत प्रकाश
कहीं कहीं चमकने लगा
अँधेरे के पशु की आँखें

आकाश के थान पर
ठहर गये थके तारों के घोड़े;
सुन्दर और अय्याश
रात की पागल युवती
मुर्दा कुत्तों के बिस्तर पर
टूटा हुआ पियानो
अब फिर बजायेगी

बिसातियों की दुकानें, टपटप छाते,
छटने और तारों पर से कपड़े उतारने को भागती घरों की युवतियाँ
स्टेशन से लौटते भीगते घोड़े

तारों पर से उड़ गया पक्षी—
वर्षा मंगल के स्वर भर :
खुशी के अकेले में उतना नंगा
उसको सिर्फ़ मैंने देखा

बारिश की बग्घी
गुज़र गयी सड़कों पर
हवाओं की लड़कियों का
धूप में पिकनिक

काला चश्मा पहिने चूहे
लम्बी लम्बी मोटरें हाँकने लगे
नपुंसकों ने बन्दूकों के कारख़ाने का फाटक खोला
शालीन स्त्रियाँ परिवार-नियोजन सीखने निकलीं
कपड़े पहिने केकड़े के लिए
नंगा साँड़ ठेले में जुता
छावनी में कवायद शुरू हुई

बादल छँट गये...
छुट्टी के दिनों की तरह
बिना बात भागते
कान्वेण्ट के बच्चे—

जेब कतरों जैसा चौकन्ना मौसम
घुँघरू बाँध नाचती हवाएँ

समुद्र को तट पर छोड़
वापस लौटती अधेड़ सड़कें—
पहले बनेंगी झील
फिर बोट क्लब और हवाई अड्डा
फिर चमकदार रेस के घोड़े...

और फिर सहसा
लाशों ने उठ कर कपड़े पहिनने शुरू किये
टाइयाँ लगाईं
जूते बाँधे
सिगरेट सुलगाईं
फिर कुछ मुर्दों ने बैण्ड बजाना शुरू किया
कुछ नाचने लगे

काफ़ी देर नाचते रहे वे लोग
फिर मेज़ लगी
ठहाकों के ख़ज़ाने खुले
गर्म गर्म शराब ढली
ख़रीदी गयी ख़ुशी की आँच में
वे सारी लाशें
मोम की तरह पिघल गयीं
मुर्दा लोग एक बार और मरे

ऊब की अलगनी पर
लटकती रहीं दो चीज़ें
एक इतवार
दूसरे एक नंगी लड़की

वन की पगडण्डी की तरह
अनायास फिर मिल गयी
वही पीली लड़की

पतझर की पत्तियों जैसी धूप
गिरने लगी हमारे ऊपर
बर्फ़ से लदी झील
काँपने लगी धीरे-धीरे
पुराने दिनों के कमल
खिलने लगे

चरागाहों को पार करते हम चले गये
वर्तमान को हाथ में पकड़े
वहाँ तक जहाँ से
लाल खपरैलों के पहाड़ी मकान चमकते हैं दूर;
और फिर वह सीमा आयी...

काश, मैं वहाँ जा सकता
जहाँ मैं जाना नहीं चाहता

फूल, नये पत्ते और धूप को बाँध
युवा मौसम जा चुका था वहाँ से
सिर्फ़ वे दिन शेष थे वहाँ
जब पेड़ की आख़िरी पत्ती गिरती

सारी रूपवती ऋतुएँ उसकी देह में छिपीं
वन की आख़िरी पत्ती
मेरे सामने गिरी

आकाश का साथ तट के लिए छोड़ता समुद्र
रासलीला में नाचते कृष्ण जैसा चाँद
आदिवासी गीत, सुनसान खेतों के रेलवे क्रॉसिंग
मिल की चिमनियाँ, फ़ौज में भरती होता वसन्त
मुझे अकेला क्यों छोड़ते हो, क्यों?

उम्मीदों के हैट में से
कब निकलेगा खुशियों का खरगोश?
ड्रेसिंग गाउन पहिने मेरा भाग्य
क्या बालकनी में इसी तरह
शराब पीता रहेगा?

होटल के छोकरे ताड़ी पीने निकले
हुगली पर स्टीमर ने भोंपू दिया
आख़िरी ट्राम अभी अभी गुज़री

सूदखोर पठान की तरह चाँद
लॉयड बैंक के पास मुझे खड़ा मिलेगा;
सामने के तल्ले की ख़ूबसूरत लड़की
जूड़ा खोल सो चुकी होगी

आकाश का सरकस
खूँख्वार दरिन्दों की तरह
इधर-उधर घूमते बादल
और हवा
और हवा

रात के अँधेरे में
कहीं कोई मशाल गुज़री
एक सिक्का किसी ने मेरी जेब से
निकाल लिया
मुझे पता लगा सहसा
दूर जो चमकता था
वह था नहीं वसन्त
सिर्फ़ एक ख़ूबसूरत वन में आग लगी थी

न रहे वे तट
न व समुद्र
न वे पाल
पर एक चीज़ वही है वही–
मेरा पीछा करता हुआ
बीते दिनों का जहाज़

वह नहीं डूबा

रंग बिरंगी बत्तियाँ, बैण्ड, कोका कोला
पटाखे, फुलझड़ियाँ और भाँगड़ा
वार्निश हुई कुर्सियों की क़तारें
बैरों और खानसामों की एकाग्र व्यस्तता
प्लेट प्लेट परसती
सफ़ेद हँसी

नये वस्त्रों में फूल सी बँधी
कुछ लड़कियों ने
नया रिकॉर्ड बजाना शुरू किया
इसके दूसरी तरफ़ का गाना
मुझे याद था

एक आइसक्रीम और लूँगा
फिर सिगरेट
फिर विदा
इससे पहले कि शादी के लिए पकड़ी गयी शाम
खाली प्लेट, फूटी बोतलें
और वर्दी निकले बैरों के ऊपर से गुज़र कर
वहशी लड़की की तरह
मुझे काटने लगे

ओडीयन में चित्र अभी छूटा
बरामदे में पकने लगी
अधनंगी टाँग, अधनंगी कमर
और अधनंगे वक्षों की फ़स्ल

संगमर्मर के फ़र्श से
आग की लपटें
शीशे की दीवारों में पिघलने लगीं

मुझे तो बहुत अच्छी लगतीं
अधनंगी हँसती युवतियाँ
कोई कोई देह ऐसी
यदि होती एक दम नंगी
तो लगती ज़्यादा मासूम

कुछ घण्टे बाद
ये सब रूपवती स्त्रियाँ
फिर बन जायेंगी मात्र शालीन पत्नी
अफ़सोस...

मैं पार्क में सिगरेट पीता हूँ
वहाँ बरामदे में लोग जासूसी उपन्यास
और नंगी युवतियों के रति-चित्र ख़रीदते हैं
लिपस्टिक, सेंट और खिज़ाब—
इनकी बिक्री ज़ोरों पर :
मैं सोचता हूँ, आज किसी के साथ
मौसम पर बात करता

बूढ़े गिद्ध खूँख्वार दरख़्त
इस विश्वास से कि कोई अब भी उन्हें चाहता है
फिर से मासूम, सुन्दर और जवान हो गये

इसके बाद फूल खिले
फिर घास हरी हुई

नीले नीले आकाश के तले
रेशमी हवाओं की रस्सियों पर
वसन्त का हिंडोला
पीली पीली दिशाओं में
घूमने लगा
घूमने लगा

जब वहाँ सब जवान हो गये
और सब सुन्दर
और जब वे एक दूसरे को चूमने लगे
—मैं वहाँ से चला आया

मात्र उतना क्षण नापेगा सारी उम्र;
प्रतीक्षा के वर्षों के कमल
उसके बाद फेंक दूँगा सड़कों पर
समय टूटेगा चीनी के बर्तन जैसा
क्या परवाह?

नीली उँगलियों में जलती मोमबत्ती पकड़े
यह मैं ही हूँ मैं ही
जहाँ सारे वसन्त समाप्त हुए :
यह मैं तुम्हीं से कहता हूँ– तुम्हीं से–
पुरानी इच्छा के लोहे को और ज़्यादा लाल कर
चाँदी का पुराना साँप
फिर आ गया

रात का समुद्र
चिराग़ों के फेन;
दिशाओं की म्यान से लटकती
　　　　मार्च के सौन्दर्य की
　　　　कटार

ख़ुश ख़ुश लड़कियाँ
किसी की झाँकती हुई हँसी
मेरी उदासी की झील में
लगा पत्थर

दीवारों के पिछवाड़े
कूड़ा कर्कट,
फेंके हुए टूथब्रश, सिग्रेट की डिब्बियाँ
इस्तेमाल किये गये ड्यूरापेक के पैकेट
किसी भयभीत सुख के साँप की केंचुल....
....
ये ताक़त की गोलियाँ कैसी होती हैं?

दौरे का बिल
नहीं बना अभी
दो रिपोर्ट और देनी हैं
बीवी का जुड़ा आज भी भूल आया—
　　　　चौरास्ते पर इतनी भीड़!
　　　　टकराया कोई दूध की गाड़ी से

कितने नाराज़ हैं लोग
साइकिल से गिरे बच्चे
और उसके बाप में से
कोई भी नहीं मरा

पेट्रोल पम्प के पीछे
आकाश की झाड़ी पर
चन्द्रमा का फूल खिला
...साँसों की शय्या पर सोई
स्मृतियों की राजकुमारी को छेड़ता
बाँकुरा चाँद...

मेरे सीने पर से
यकायक कोई घुड़सवार उतर गया

अरसा पहले
मैं इस रास्ते से आया था
तब मेरी जवानी
धोबी के धुले कपड़ों की तरह ताज़ी थी– बुर्राक–
आज यह दफ़्तरी कालर
कई दिन का पहिना :
शायद अगली बार इस रास्ते से न आ सकूँ
कोई और आये
जो मेरा ज़िक्र ही करे

यह कमीज़ भी फट गयी
इस बार रेडीमेड ख़रीदूँगा
चौराहे से बचूँगा बायीं ओर
वहाँ से फ़ौजी कसाई घर के ऊपर
चाँद फिर चमकेगा

दूर कहीं टूटा तारा
शायद मेरा कोई और दोस्त
लड़ाई में मरा

नीले आकाश के नीचे
फूल उठा
छबीला कचनार

यही वह रास्ता
जहाँ से
घोड़े पर चढ़ा वसन्त
अभी अभी
गुज़रा

राजा-रानियों के मुकुट
ऋतु का पीला हार

क्षितिज ने पहिन लिए
आग के कपड़े :
पिघलने लगा किसी के शरीर का सुवर्ण
सारे अंग धीरे धीरे
होने लगे—
या तो वक्ष
या अधर

घास के तिनकों से जूड़ा बाँधे
किसानों की लड़कियाँ
पके खेतों बीच
अभी अभी गयीं

कितनी ख़ुश थीं वे
बिना बात हँसती;
सिवाय हँसने के इस तरह
बाकी सब कुछ
            उन्हें अभी सीखना

बादाम का ज़िस्म
आग के खेत
दूध की हवा

धूप की घास टूँग
चली गयीं
सुबह की बकरियाँ

दुपहर की गिलहरी
दुबक गयी
पश्चिम के पेड़ पर

बादलों के जाल से
सहसा छूटे
सूर्यास्त के कबूतर

—और इस तरह
नगर का विशाल सिक्का
एक दिन ढला

फिर बत्तियाँ चमकीं
सड़कें दौड़ीं
बादलों के कपड़े सूखने के लिए
आकाश में तार बँधे
नियोन बत्तियों के हार दीवारों ने पहिने
लॉन पर बिछने को
सात समुद्रों पार की घास
ख़ुशी ख़ुशी आयी;
फूल से मकान खिले

वहाँ की हर चीज़ अपनी थी
समुद्र तट से लेकर
भय और ईश्वर तक

और जब नगर का तिलिस्म हो गया पूरा
क्षितिज का धनुष सहसा टूटा
नकली दाँतों के जबड़े हाथ में पकड़े
भयावह बूढ़ा जादूगर
सबसे ऊँचे तल्ले पर
फिर चमका :

नगर का दिन हो गया सिपाही
रात्रि वेश्या;

प्रातः और सायंकाल
मात्र थके शरीर :
ऋतुः एक समझदार शालीन दुःख

इलाक़े के ग़रीबों ने
जंगल और पहाड़
इसके बाद कहीं और काटने शुरू किये—

जेरुसलेम की तंग पथरीली सड़कों पर
ईसा ने लकड़ी के क्रॉस को
वहाँ तक ढोया
जहाँ से क्रॉस के उसे ढोना था

छतों और छज्जों से
देखते रहे नर नारी
लकड़ी से जुड़ी
प्रभु की निश्छल गठीली मूर्ति
अँधेरे में बढ़ती मशाल की तरह

मगर देखा नहीं किसी ने वह सलीब
जिस पर उन्हें खुद चढ़ना था,
अपने अन्त व आरम्भ की वे परम्पराएँ
जो उनके कन्धों पर सदा लदी थीं;
मृत्यु का वह भार—
जो मृत्यु से पूर्व
प्राणों ने सदा ढोया

प्यार का लबादा
समय की बर्फ़ से
हुआ भार
अपराधों की शिला पर
थक कर राजा ने
चाहा उसे उतार

टावर का आँगन
पत्थरों के परकोटे
भारी भीड़
सहमी झुकी रानी
जल्लाद की खिंची नंगी तलवार

आकाश का थैला फट गया सहसा
फूट पड़ीं ठण्डी ठण्डी हवाएँ—
बादल बिखेरतीं

ग़रीब बच्चों से नंगे जंगल;
पेड़ों पर से पत्ते
मुर्दा चूहों की तरह
पानी से टूट टूट
                गिरने लगे

इस ठण्डी रात की सुरंग से
कल मिलेगा नया दिन
न होगी बारिश
न हवा
मौसम होगा इतना सुहाना
क़ब्रिस्तान की चिड़िया भी
नया गीत गाएगी

ख़ैर वह तो कल होगा
आज तो मन की नदी में कई बाँस डूबता दिन
कमरे में बन्द
हम कुछ न कुछ ज़रूर कर गुज़रेंगे—
                                प्यार या हत्या

आज सूरज नहीं छिपा
आज तो समुद्रों पर से आये दैत्य ने
जंगलों को पार कर दिन की हत्या की
उसकी लाश को
मुर्दा बच्चों, डूबे गाँवों, टूटते कगारों
पटरी से उतरी रेलगाड़ियों, उखड़े दरख़्तों
और बिजली के खम्भों के साथ
टप टप भीगते आकाश के कपड़े में बाँधा
और उसके बाद
कीचड़ के चौड़े चौड़े डग रख
उस गठरी को वह
मेरी ड्योढ़ी पर छोड़ गया

भय की मशाल के तले
क्षितिज पर बज रहा
प्रलय का ढोल

सामने का पेड़ टूट गया
आज बारिश में;
इस पेड़ पर कभी कुछ नहीं फूटा
पर था यह इतना जवान और उदास
इस पर जो कुछ भी फूटता
                    वह फूल ही होता

इस पेड़ पर
एक चिड़िया बैठती थी कभी-कभी
वह अब कोई और जगह ढूँढ़ेगी

या शायद
मर गयी हो
इस बारिश में वह
          पहिले ही

जलते चिराग़ों के साथ
गाँव में पानी आया
आधी रात तक हो गया भयंकर,
रात की द्रौपदी का चीर
खींचने लगा दुःशासन

पहले बहे जानवर, घर बार, पेड़
फिर बहे खेत और रास्ते
कितना दयावान् पानी का वह बहाव
जिसने डुबोने के पूर्व
माँ को बच्चे से अलग नहीं किया

दस दिन बाद उतरे जल
नावों से इकट्ठी हुई लाशें
मुर्दा घोड़ों और मुर्दा आदमियों में
कोई फ़र्क़ नहीं था...

मैंने देखा है वह देश
जहाँ चाँद काला है
नदियों के हिरन किनारे की झाड़ियों में मुर्दा पड़े हैं
वसन्त किसी क़ैदी की तरह सिर्फ़ दिखाने के लिए लाया जाता
और जहाँ रात और दिन
शव यात्रा से लौटते लोगों की तरह सिर्फ़ कहीं चलते भर जा रहे हैं

इतने ज़्यादा उदास
वे और उदास हो ही नहीं सकते

क्लब में फ़र्श पर
कोई लुढ़का खाली बोतल के साथ
अँधेरी गली में होकर
एक और शरीफ़ आदमी
शरीर के शिकार को
कोठे की मचान पर चढ़ा

घर घर और गली गली
पुरानी दहलीज़ों और मेहराबों में
हाँके के सिपाहियों ने मशाल जला दी :
इसकी रौशनी में हम सबके चेहरे
कितने ख़ूबसूरत लगते
सच, कितने ख़ूबसूरत

पीलू पक गये
आओ वन की ओर चलें

'राजा था सोने का राजहंस
रानी मोतियों की लड़ी'
किसानों का गीत लगेगा आज
और दिनों से ज़्यादा दर्द भरा;
आज मैं दीखूँगा इतना सुन्दर
कि तुम मुझे छूना चाहोगी :
हँसेंगे आज हम बिना बात
झूमते चन्द्रमा की छाया में
बिना बात

पीलू पक गये
आओ वन की ओर चलें

समुद्रों में डूबते जहाज़ की तरह
मंज़िलों के पाल पर पाल
भभक भभक जलते रहे
धधकती ईंटों का सहारा पकड़ने की कोशिश में
शालीन सुन्दरियों के यौवन
सींकचों पर चिपक गये कबाब की तरह
इमली के बीजों जैसी
असंख्य आँखें चौराहों पर बिखर गयीं
नुक्कड़ों और चौबच्चों में
कुत्तों और रईसों की चर्बी
साथ-साथ पिघली

धुआँ छोड़ती सड़कों की भीड़ में
तंग पतलून वाले चन्द लड़के
ढूँढ़ रहे थे रिस्ट वाच, कैमरे, ट्रांजिस्टर
शराब और इतवार
जलते हुए करन्सी नोट, लड़कियाँ और समुद्र तट
वे मुझ पर हँसते रहे...

पार्क की बेंच पर
मुझे मिला वह आदमी
जिसने लगायी थी दाह
उसके दोनों मुर्दा बच्चे
चूहों की तरह उसके कन्धों से लटक रहे थे
अपनी प्रेयसि के फेफड़े
उसकी जुराबों में चिपके

अपने नकली दाँत हाथ में पकड़े
वह भी जल रहा था सिगार की तरह
मगर था वह खुश–
उसने शहर जला दिया

रात मैं एक जलते हुए श़हर में से होकर गुज़रा

जब सट्टे में उसने रुपया खोया तो रोया
जब फ़ेल हुआ पिल्ले बैंक तो रोया
लड़की ने किया प्रेम विवाह तो रोया
जब भाई ने किया चन्द खेतों पर क़ब्ज़ा
तो इसने बन्दूक निकाल ली
और जब कुत्ता खो गया नुमायश में
तो छपा डाले उसने सारे अख़बार

रात जब सन्नाटे की छाती पर
चुभोई किसी ने ख़बर की बर्छी
—बड़ा लड़का मारा गया लड़ाई में
स्यालकोट से आगे—
तो उसने कुछ नहीं किया
कुछ भी नहीं

उधर के क़स्बे में एक महिला रहती थी
सुन्दर और अमीर
उसके थे तीन पुत्र
तीनों फ़ौज में

एक दिन जब रात का खाना मेज़ पर लगा था
और जब लड़के हँस हँस कर
अपनी विधवा माँ से गप्पें लगा रहे थे
किसी ने किवाड़ खटखटाया
हुक्म आया था राजा का
लड़ाई छिड़ चुकी थी
तीनों भाइयों को उसी रात जाना था

वे तीनों चले गये समुद्रों पर
और पहले ही पखवाड़े में
तीनों मारे गये दुश्मन की तोपों से :
उनके मरने की ख़बर
उनकी माँ को तब मिली जब वह—
बड़े लड़के के लिए लड़की सोच रही थी
मँझले के लिए बना रही थी उम्दा शराब
और बुन रही थी दस्ताने
तीसरे के लिए

ख़बर सुनकर वह रोई नहीं
न उसने अपने काम बन्द किये
हमेशा की तरह उसने
लड़कों के कमरों की अँगीठियाँ जलवाईं

बिस्तरों की चादरें बदलीं
नौकरों को खाना लगाने का हुक्म दिया

न जाने कब तक
रोज़ इसी तरह बिस्तर ठीक होते रहे
मेज़ पर खाना लगता रहा
कमरों में अँगीठियाँ जलती रहीं
मगर कोई नहीं आया
और फिर एक रात
जिस दिन महिला सख़्त बीमार थीं
तीनों के तीनों लड़के
एक साथ वापस आये
उसी तरह जैसे वह शिकार से लौटते थे

उन्होंने लबादे उतारे
बर्फ़ झाड़ी
नौकरों की कमर थपथपाई
नौकरानी को चूमा
कि उसने मालकिन का साथ नहीं छोड़ा
फिर उन्होंने खाना खाया
शराब पी
और अम्माँ के पलँग पर बैठ
जंग की कहानियाँ सुनाईं

सुबह होते ही
वे सबके सब वापस चले गये

बस इतना था
वे आये तो थे काले घोड़ों की बग्घी पर
पर जब वे गये
तो एक घोड़ा अम्माँ के कफ़न की तरह भूरा था
और उसकी दुम कुछ कटी थी

(स्काटलैंड का एक बैलेड)

बच्चे अब निडर होकर रो सकेंगे
रात को बत्ती जला कर
पुरुष कर सकेंगे पत्नियों से प्रेम
रेडियो फिर ज़ोर से बोलेगा

कल शाम युद्ध समाप्त हो गया...

अख़बारों की झील में
सुलह की शर्तों की मछलियाँ चमकीं
थके जवानों से भरी रेलगाड़ियाँ
सीटी की सिगरेट दबाए
गयीं उधर सिगनलों के पार...

कौशल्या की उदासी का सुवर्ण
जम कर गहना बन गया
अब तो लौटेंगे नहीं
वन से राम

फ़्लैट नम्बर ग्यारह में हार्ट फ़ेल
ठेकेदार कँवलसिंह मर गया
(हालाँकि इस सीज़न के लिए
वह एकदम बुक था)

कल शाम जब मैं उससे मिला था
कँवलसिंह मुझसे ज़्यादा
जवान और ख़ूबसूरत था

आधी रात के बाद बहुत बर्फ़ गिरी
खपरैल, टीन, खम्भे और देवदार—
सब पहले बगुले बने
फिर मर गये

उस परिचित लड़की ने
साड़ी झाड़ू सड़कें फैला दीं
जंगल और लॉन बिछा दिये सहसा
उसके हँसने पर
पता नहीं कहाँ कहाँ खिड़कियाँ खुलीं

उसका तन छूते ही
मुझे पता लगा सहसा
अपने शरीर के तिलिस्म का

पेड़ों से चिड़ियों की तरह
दिनों ने खुश खुश उड़ना शुरू किया
पीछे छूट गये कहीं
स्टेशन, नाव, पाप, चीड़, और पतझड़

कहकहों की तरह चटक पत्ते पेड़ों ने पहिने
पीले फूलों के खेत में खड़ा हो गया
दिन का हरिण

छींट का रूमाल जेब में रक्खे
किसी रईसज़ादे की तरह
वसन्त निकल पड़ा

रात कोई जंगलों में हँसा

टूटी हुई मुँडेरें, गन्दी गलियाँ, तंग आँगन
इन सब के पार
पीले पिंजरे में बन्द मेरे बचपन का तोता

फिर वही नदी
जिसके पास हरे हरे वर्षा के कालीन पर
नीला आकाश मुकुट की तरह रक्खा
मेरे पहिनने के लिए

मैं बराबर पीछे बढ़ता गया घोड़े पर
वहाँ तक जहाँ कुछ लोगों ने
मुझे गुडमुड कर गठरी बाँधी
और जूते के फ़ीते, हड्डियाँ, क्राकरी और गुलमुहर के साथ मुझे बाँध
मुझमें आग लगा दी

दूरियों का कफ़न ओढ़
तुम्हारा चेहरा सो गया मुझमें
पहिले मैं जेल और दफ़्तर था
फिर क़ब्रगाह भी हुआ

परदों के बाद परदे उठे...
उसने अपना ज़िस्म मुझे इस तरह दिया था
जैसे किसी को कोई सिगरेट देता है

चिनार के पेड़ पर नयी ऋतु का फूल
बाहर मोमबत्ती सा जलता चाँद

बन्दनवार से टँगे पश्चात्ताप
झाड़फ़ानूस से लटके भय...
अगले दिन मैं फिर दिलचस्प हो गया

भीगी धरती की गन्ध
खुली धूप का फूल;
वर्षा के संयम से निकल
दिशाओं की देह
मुक्ति के कंचन से
नख शिख निखरी

नदी ने पहिन ली
धूप की हँसुली

क्षितिज के पार जो और क्षितिज
नयी ऋतु का रथ
इधर आने के लिए वहाँ सज रहा

झील खेत और गाँवों के ऊपर
जंगली भैंसे सा दौड़ता मानसून
बाँसों में दुबकी
साँझ की अकेली चिड़िया

सुबह सुबह मौसम का सफ़ेद हंस
पंख खोल उड़ेगा
शाल के वृक्ष नयी पत्तीं पहिनेंगे
फूलों से लदेंगे वन
मैदान हो जायेंगे हरे और समतल

ख़ुशनुमा मौसम में अगर न बदला
तो मैं ज़्यादा उदास लगूँगा

बचपन में मेरी वर्ष गाँठ पर
माँ मुझे रुपया देती थी
पर वह इतनी ग़रीब थी
बिना रुपया मिले भी कभी-कभी
मैं एक साल और बढ़ जाता था

बारिश में धुली
अपने मकान की मुँडेर की तरह
मेरा दिल उन दिनों बहुत साफ़ था
मैं अक्सर सोचा करता था
बड़े होने पर
अपनी वर्षगाँठ पर क्या क्या ख़रीदूँगा
किन किन जंगलों में घूमूँगा
किन किन पेड़ों, चिड़ियों और जानवरों से दोस्ती करूँगा
और न जाने कौन से शहर की सड़कों पर
घोड़ा दौड़ा कर
ऐसे अमीर दिन पकड़ूँगा
जो रोज़ हँसा करेंगे...रोज़...

इसके बाद एक वर्षगाँठ पर
मुझे कहीं से फूल मिले
अगली वर्षगाँठ पर
वे मुझसे वापिस ले लिए गये
आख़िरकार एक दिन
मैं भी हो गया समझदार और अमीर
अपने लिए जो कुछ चाहता, ख़रीद सकता

और तब मैंने अपने लिए
एक ज़ंज़ीर ख़रीदी
मुलायम पर मज़बूत
और ख़रीदते ही वह ज़ंज़ीर
मेरे ज़िस्म पर कस कर बँध गयी

अब न कोई वर्षगाँठ आयेगी
न कोई फूल
यह ज़ंज़ीर...
इसके टूटने से पूर्व
मैं टूट चुकूँगा

जुते हुए खेत सा समुद्र
जाल फेंकतीं गठीली हवाएँ
लहरों के नीले घोड़े दौड़ाते
फेन के सवार

दायें हाथ चमकता
कछुए की खोल सा क़स्बा :
फटे पालों पर बैठे बूढ़े मल्लाह
मछलियों, शंखों और कहानियों की क़ीमत पर
वहाँ समुद्र बेचते—

कुण्डल पर कुण्डल पर कुण्डल
मेरे पीछे फुंकारता
समुद्र का बूढ़ा सहस्रफन

ज़हरीले नील तरल में
ख़ुशी ख़ुशी भिगोया मैंने
उदासी का कवच :
तट के सबसे अकेले वृक्ष पर
अपने प्यार को मैंने
कील से ठोंक कर लटका दिया

गुलामों के रक्त की कीचड़, सुन्दरियाँ और मशाल
समयहीन यात्राएँ
अक्षांश और देशान्तर

समय के भँवर में
वासना और महत्त्वाकांक्षाओं की पेटियों से लदे
शताब्दियों के पाल उड़ाते बेड़े
डूब चुके कभी के;

बादलों की डोर के सहारे
फाँसी लगी हसीन औरत की तरह
चाँद लटका है

हवाओं में खोई नावें
लाश पहिचानते बच्चे
जाल में उलझी आँखें और पेट

लड़ाई को जाते राजपूत की तरह
ढाल और तलवार बाँधे
समुद्र उस दिन कितना बाँका था

चंचल सीमाहीन फेन का नील
दिशाओं का डूबता शरीर :
जल के वृक्ष पर
लहर की पत्ती;
ज्वार के दर्द का भँवर,
सन्नाटे का डूबता आख़िरी तख़्ता
हहर.... हहर...

सुनसान जंगल में रथ लेकर
मैं भटक गया,
रात के पेड़ पर सन्नाटे का उल्लू—
मैंने जिस दरख़्त, मन्त्र, क्रास या आकाश का सहारा पकड़ा
मेरे वज़न से
वह भी डूब गया

रथ को वहीं छोड़ दलदल में
मैं गिरा वन के बाहर
और गिरे हुए मुझ पर
टूटा रथ खींचते
मेरे ही वफ़ादार घोड़े
हींसते हुए गुज़र गये

मुक्त होते होते मैं हुआ समाप्त
मेरी लाश जहाँ जहाँ गयी
रथ खींचते घोड़े
वहीं वहीं गये

और एक ठट्ठेबाज़ नक़ाबपोश
मेरी इस हालत पर
कोई अश्लील हँसी
लगातार हँसता रहा...

कोठी, मोटर, बैरे, और लॉन
रूपवती पत्नी, हँसमुख बच्चे
शेयर्स, सिक्यूरिटीज़, जायदाद
फ़्रिज, फ़ोन, चंचल सेक्रेटरी
ऊटी और नैनीताल

उसकी ज़िन्दगी की छोटी डोंगी पर
सुख के इत्ते भारी पाल!

ज़ीन पड़े घोड़े, फूल सूँघते शहंशाह
पट्टा लिखते कारिन्दे, कुर्क होते किसान
गाय माँगते ब्राह्मण
ठुमुक ठुमुक नाचती ख़ूबसूरत लड़की....
मृत्यु के हल ने सबको जोत दिया

कहाँ जा रहे हैं हम सब
क्लर्क, भिखमंगे, अफ़सर
फूहड़ कुली, शातिर सट्टेबाज़
पाँच पाँच आने की बोली लगाते हाकर
जूड़ा बाँधे गृहिणी, गुब्बारे जैसे बच्चे
जवान आया, बॉब कट कॉल गर्ल
बकरी घसीटता खटिक
नक़ाब डालता जेल का वार्डर
तमंचा बाँधे खाकी सिपाही
कहाँ जा रहे हैं हम सब?
न समय न दिशा...

जासूसी उपन्यास, रतिचित्र, लक्स से मुलायम त्वचा,
—इस शेषनाग पर लेटा खुशी का विष्णु
कब तक सोएगा? कब तक?
क्या हम भी वही जगह ढूँढ़ रहे हैं
जहाँ कोई हमारी शक्ल बदलेगा

हम घास, पेड़ या अनाज बनेंगे
हमारी अगली पीढ़ी हमें खाएगी
वसन्त सी चटखेगी चिता?

सारसों की गर्दन सी उठती सुबह
मुर्ग़ाबियों सी चंचल दोपहर
पैरों में लोटते सूर्यास्त
थकी गाय सी लौटती साँझ
हवा में बुना खुशियों का रेशम
और इन सबको रौंदता
पाप का सुलतान
कभी का गुज़र गया यहाँ से
घोड़े की अनन्त टाप छोड़ता...

समय का पहाड़ जितना ज़्यादा खोदा गया
इतिहास का लोहा उतना ज़्यादा काला
समस्याओं का हल फिर वही सलीब

कल इतवार
छुट्टी के दिन का तौलिया
बाकी दिनों के दुख का मुँह पोंछ
उसे और चमका देगा
हज़ार इच्छाओं के बावजूद
हम अपनी खालों में से
कूद नहीं सकेंगे
छत से लटकती रहेगी
सुख की वही पुरानी तलवार
वर्षा में धुले पहाड़
यक्ष से खड़े चीड़ के पेड़
मन्थर गति मन्दाक्रान्ता मेघ :
इतने दुख का गीत
कवि तुमने क्यों गाया

विदा के प्रणाम सा छोटा जीवन
दुख के लम्बेपन से और हुआ छोटा
भूख प्यास बीमारी
क्रोध, घृणा, ईर्ष्या और भय
लालच व व्यभिचार

जितने व्यक्तिगत या सामाजिक पाप
इन सबसे घिरा
सौन्दर्य व उल्लास का द्वीप
उस द्वीप का मार्ग हड्डियों की यही सिवार

सूखी नदियों के शव लाँघ
मैं वहीं जाऊँगा—वहीं—

उस शाम मैं कहाँ गया—पता नहीं
इतना याद कि जादूगर के चोगे की तरह काले समुद्र के पास
मेरी गाड़ी रुकी

एक तारे की साँझ के अँधेरे में
मैंने देखा डूबता हुआ वह जहाज़
जिस पर क़िस्मत की गाँठें लदी थीं

और मैं वहाँ बैठा रहा
टूटी तलवार के पास—
पराजित सिपाही की तरह :
किसी ने जिसे बन्दी भी नहीं किया

समुद्र, नारियल के वृक्ष और वर्षा :
बादलों के जहाज़ लग गये तट पर
उतरने लगे बूँद, फेन, लहरों के यात्री

वर्षा का खुला पाल
पहिले छिपा समुद्र
फिर नारियल के वृक्ष
फिर छिपी वर्षा से वर्षा

रेत के घरौंदे
सीपियों के ढेर
टख़नों तक पानी में
खिलखिलाते बच्चे

पीली धूप के पाल
नीले समुद्र का जहाज़
नारियल के तट पर
सुबह से खड़ा

पहिले आती एक लहर
फिर और...
फिर और...
फिर और...
दूर वहाँ हँसा कोई—
शायद उसने भी
लहरों के भ्रम में
बालू पकड़ी

छपाक् उड़ गया
ऊपर मेरे
सफ़ेद तोता

समुद्र का बूढ़ा जादूगर
गर्दन दबोच मेरे कन्धों पर बैठ गया
हालाँकि मैं सिन्दबाद नहीं था

लहरें धुनती हवा
तट पर डगमगाते नारियल के हाथी
बेंच पर टाँग सुखाती क़ीमती मेम सॉब
—फ़ेन सी पिघल गयीं

मेरे और समुद्र के सिवा
वहाँ कोई नहीं रहा

युद्ध फिर छिड़ गया...
यात्रियों से लकदक जहाज़ अब डूबेंगे...आ...हा...हा...
चिनार का पीला दिन क्रास पर टाँगा जायेगा
लौह फेन उगलेगा समुद्र
डिग डिग डिगा डिगा
मौसम भिगा भिगा....

संडे कॉमिक्स से कॉफ़ी के कप तक का सुख
मेज़पोश पर बिखेरोगे? आख़िर क्यूँ?
कमर में हाथ डाल
आओ, हम दोनों आख़िरी बार हँस लें

आखिरकार
(1978)

एक

रात और दिन हो गये कफ़न की तरह
कैसा आ गया मौसम?
पत्ते इस भाँति झड़ने लगे पेड़ों से
जैसे शब्दों से अर्थ गिरते हैं;
वृक्ष हो गये उदास
बिना चूड़ियों के कलाई कोई...

दो

बुझती मोमबत्तियों और कटती केक के सहारे से
तुम सबने फेंक दिया मुझे
बीते वर्षों की मेहराबों में
जहाँ से पुराने जन्मदिनों का सूखा हार पहिनकर
मैं मुश्किल से निकला था

समुद्र पर धूप में पाल उड़ाती नावें
माँझियों की बाँहों में सोयीं क्वारी नदियाँ
साखू, चीड़ और रंगीन वृक्षों से लदी
हल्की गहरी नीली पहाड़ियाँ
मोड़ के बाद मोड़ के बाद मोड़;
डाकगाड़ी की खिड़की से गुज़रते
पके खेतों और फूलों के पीले क्षितिज
एक साथ याद आ गयीं इतनी खुशियाँ :
मैं रोने लगा

इसी मोमबत्ती की तरह बुझेंगे हम
केक की तरह एक दूसरे को काटेंगे
आओ, तब तक बटोर लें कुछ और वसन्त
पलाश, गुलमुहर, द्वादशी का चन्द्रमा
आश्विन के मेघ
वर्षासंकुल सन्ध्याएँ
कोई साँवली लड़की
मृत्यु से कहीं अधिक भयंकर
उसके भय का भय
जिसके कारण फिर से सिमट आती
मेरी सारी हिम्मत मेरे पास

और मैं फिर से शुरू करता हूँ उसी तरह जीना;
आगे इसलिए बढ़ता हूँ
क्योंकि पीछे लौट नहीं सकता :

हवा आज बन्द है एक दम
अन्धड़ आयेगा शायद;
तुम खाते रहो केक के बाद केक
मैं बुझाता हूँ आख़िरी मोमबत्ती

तीन

वे सारे वकील, नेता, ठेकेदार और अफ़सर
सुन्दर केशों वाली लम्पट युवतियाँ
पसीने में लथपथ वे सब के सब
शराब के गिलास हाथ में थाम
किसी एक भयावह ख़बर की आशंका में
बालकनी पर खड़े हो गये

उन्होंने रूमाल निकाले
उन्होंने सिगरेटें जलायीं
उन्होंने अख़बार पढ़ने की कोशिश की
हँसते हुए उन्होंने लड़कियों को हिम्मत दी
और इसके बाद
उसी भयंकर स्थिति की प्रतीक्षा में
जेबों में हाथ डाल
चुपचाप वे लोग फिर वहीं खड़े हो गये?

चार

इसके बाद वे लोग बाहर निकले
और नये चेहरे पहिन कर नाचने लगे

रात भर नाचते रहे वे लोग
वर्षा का नाच
युवावस्था का नाच
प्रेम और वसन्त का नाच

इसके बाद वे थक गये
कहकहों के डिब्बे चुक गये सहसा
उन्होंने टाइयाँ उतार लीं
उन्होंने चश्मे पहिन लिये
झुर्रियों को चेहरे पर फिर चिपकाया
और इसके बाद वे लोग छोटे होने शुरू हुए
और उन्हीं दियासलाइयों के डिब्बों में
फिर बन्द हो गये–
पहिले की तरह

पाँच

ऋतु की परियों को छीन लिया
आकाश की दीवार के सहारे खड़े चीड़ के वृक्षों ने;
आज की वर्षा सचमुच कितनी बाँकी थी

देर से आया अख़बार
बाढ़, दंगे और अकाल
कितने लोग मारे गये बिना बात

कितनी अजीब ख़बर
जो लोग कभी ज़िन्दा ही नहीं थे
वे भी मर गये सहसा

छः

उस समुद्र के साथ और समुद्र भी आये :

ऋतुएँ, खेत, देवदार और लोकगीत
सँवरे केश, हँसी और कसे चुम्बन
बीयर, बैंक और घुड़दौड़

सब मेरी जेबों में सुरक्षित थे
जब मैंने आत्महत्या की

सात

नदियों के साथ बहती कथाएँ
पीली चिड़ियों के साथ उड़ती हवा
सूरज के साथ डूबते—
खेत, झील, खम्भे, चिमनियाँ और शहर

आओ; आज उन लोगों के बारे में बात करें
जो मर चुके; बेचारे :
मुर्दों के बारे में एक दिन
वे लोग भी इसी तरह हुए थे उदास

वक़्त का नव्वाब हो गया था नंगा
कुत्ते और बिल्लियों को याद करते-करते
वे सब हो गये थे खन्दकों में दफ़न

आठ

ड्राइंग रूम में वह नहीं आया
उसके चमचमाते जूते आये,
जब मिलाया उसने अपना हाथ
मुलाक़ात रह गयी दस्तानों तक,
जब वह बैठा सोफ़े पर
तो उसकी जगह एक शानदार सूट वहाँ बैठ गया;
कफ़ों ने पकड़ा कॉफ़ी का कप
टाई और कालर ने
ब्रेकफ़ास्ट किया
उसके ओठ नहीं हँसे बिल्कुल
सिर्फ़ उसकी सिगरेट चमकी

विदा की जगह हिलता रहा रूमाल
वह नहीं निकला पोर्च के बाहर
उसकी मोटर निकली

नौ

भीतर आते रहे वे लोग
जो दरअसल बाहर जाना चाहते थे;
शराब की बोतलें होती रहीं खाली
सिगरेटदानी में गिरती रही उनके ठहाकों की राख

लड़कियाँ लजाती रहीं निर्लज्जता के संग
और जिस खुशी को वे कसकर पकड़ना चाहते थे
वह बाहर निकल गयी चुपचाप

मैं तो यूँ ही खड़ा था वहाँ
गाड़ी छूट जाने के बाद का सिगनल
उपेक्षित और बेमतलब

दस

मुस्कानों के नेपकिन बिछा
वे एक दूसरे को ही खाने लगे
चुपचाप

पलाश, भाद्रपदी हवाएँ और वर्षा
उन्होंने कुछ नहीं देखा :
उन्होंने सिर्फ़ उन्हें आँका
जिनके खा जाने के बाद
उनका भय और बढ़ना था

समुद्र की मेज़ पर
शाम के बावर्ची ने
सूरज का मुर्गा कर दिया हलाल
और वे सब अफ़सर, दलाल और वकील
उन लोगों से गले मिलने लगे
जिन्हें निगलना अभी बाक़ी था

पलाश, भाद्रपदी हवाएँ और वर्षा
उन्होंने कुछ नहीं देखा

ग्यारह

शानदार लबादों में वसन्त से सजे
सराय में ठहर गये वे अमीर मुसाफ़िर
उन्होंने सोने के पात्रों में उम्दा खाना खाया
रूपवती युवतियों की हड्डियों में उँड़ेल कर—
पीते गये वे क़ीमती शराब;
इसके बाद शतरंज जमी
और बाक़ी लोग महागनी के सोफ़ों पर
पीने लगे सिगार

काफ़ी देर बाद उन्होंने हथियार निकाल लिये
और झाड़फानूस तोड़ दिया
जला दीं पुरानी पेण्टिंग, पर्दे और कालीन
लड़कियों को कर दिया बेहोश

और इस हादसे के बाद
वे अपनी शानदार बग्गियों में बैठ गये
और किसी नयी खुशी के शिकार पर
दौड़े पड़े वनों और पर्वतों की ओर

बारह

दोनों देशों में फिर छिड़ गया युद्ध
लोहे का राजकुमार
फिर माँगेगा निरपराध युवा रक्त :
मुस्कराहटों की मोमबत्ती पर
फिर गिर जायेगा
कोई भारी हाथ

वसन्त का यह छबीला दिन :
लोककथाओं की सारी सुन्दर राजकुमारियाँ
मेरे पास आने लगीं
अपनी हिफ़ाज़त के लिए
एक के बाद एक

तेरह

जहाज़ों के पंख जल उठे मशालों की तरह
समुद्र का पुराना गलीचा फटने लगा
लाशों पर खिल उठे घावों के पलाश

बूढ़े डरते रहे क्योंकि वे बचना जानते थे
बच्चे थे निडर पर मर गये चुपचाप;
क़स्बे के बाहर जो आख़िरी सराय थी—
बारूद से उड़ गयी उसकी टीन की छत;
न बची लड़की
न शराब

चौदह

कितना अजीब आज का दिन
छिप रहा सूरज निकलने के साथ ही साथ
घाव करते तुम्हारे चुम्बन
मुस्कुराहट काटती शरीर
ख़ून जैसी लगती है शराब

शायद कोई सीज़र
फिर क़त्ल किया जायेगा कहीं

पन्द्रह

हीरे जवाहिरातों से लदी श्यामा युवती
पूर्व के द्वीपों से आकर
पश्चिम के बगीचों पर उतरी;
अशर्फ़ियों की बौछार की तरह
मुट्ठी-भर वर्षा की ऋतु ने
मुझे बेबस कर दिया

बरसात के बाद शायद फिर शुरू हो जायेगा युद्ध;
पानी सूखने के बाद
घास पीली होगी
और उसके बाद शानदार रक्त
पर्वतों पर सूखेगा

सोलह

सीमान्त के अड्डों पर
युद्ध के विमानों ने फड़फड़ाए पंख;
समस्त काव्यों के विदूषक
आज आत्महत्या करेंगे—एक साथ

सत्रह

फाँसी पर टँग गया आकाश
समुद्र अपने ही भँवर में डूब गया :
खाइयों में से निकल कर सहसा
वे सब मारने लगे उन्हें
जिन्हें वे जानते तक नहीं थे

पहले मरा संगीत
फिर मरे प्रेम, यौवन और रूप
दक्षिण दिशा को घोड़ा फेंकता राजकुमार
और इसके बाद मर गये वे सब के सब ख़ुद भी :
तोपों के क़ब्रिस्तान में
दफ़न हो गया बारूद का बूढ़ा जादूगर

वे सब के सब किस लिए मरे थे
इसका पता उन्हें कभी नहीं लगा

अठारह

पीली पत्तियों से लदे वृक्षों की क़तार
दौड़ती मोटर के शीशों से
लगती कितनी सुन्दर
स्वप्न के बाद स्वप्न

इसी वसन्त के नीचे बसी
झुग्गियों में रहते मज़दूर
पत्थर तोड़ती युवतियाँ
बतियाती वृद्धाएँ

बन चुके ये उनके निरर्थक अंगों के अंग
वृक्ष के बाद वृक्ष
दुख के बाद दुख

उन्नीस

फूलों-जैसी हँसी
धूप सी बिखरी;
नाचा वह फ़स्लों की तरह
जवानी का नाच

हँसती बतियाती लड़कियाँ
मोमबत्ती जैसी ढलती रात
मशालों की तरह बुझते कहकहे
कलियों जैसी चटखती शराब;
इन सबको यहीं छोड़
नावों की पालों का कफ़न पहिन
वह हो गया
किसी यात्रा की भाँति मासूम

बीस

फूलों से लद गया कम्पनी बाग़
गहनों से सजी साँवली युवती

फ़ैक्टरियों की क़तार
मिलों की चिमनियाँ
साइकिल से दफ़्तर पकड़ते बाबुओं की भीड़
टैक्सी, ट्रांज़िस्टर, रेल की सीटी और मैटिनी शो
भागता दम तोड़ता मौसम

इस शहर की भोर, दुपहरी और साँझ
सिर्फ़ कम्पनी बाग़ में बची

इक्कीस

तृप्ति और थकावट की बर्फ़
जिनके नीचे दब गया वह महानगर
ट्रैफ़िक के दरिन्दे, बिजली के खम्भों के पेड़
बाँहें फैलाकर बुलाती साड़ियों जैसे लॉन
सब के सब मर गये चुपचाप :

बुझ गयी शराबघर की बत्ती
आख़िरी ट्रेन चल पड़ी सिगनल के इशारे पर
टूटने लगीं पटरियों की नसें
जैसे किसी दिन
मेरी हड्डियाँ चटख़ेंगी

बाईस

विलेन की आँख जैसा अपलक आकाश
वेश्या की जाँघों जैसी महानगर की सड़कें
क़िले की दीवार जैसा अजेय समुद्र
संगमरमर की छैनी से वक़्त को काटतीं इमारतें
विष जितने मीठे माँझियों के गीत

यकायक घबराकर
छिप गया मैं अपनी ही खाल में आज
मत निकालो मुझे

तेईस

पीली पत्तियों से ढकी वन की पगडंडियाँ
रंग-बिरंगे बादलों से सजा आकाश
सीटी दे देकर युवतियों को बुलाता
सदा का प्रेमी वसन्त

रूप, वासना, लज्जा और समर्पण
और उसके बाद फिर वही लालसा
फिर वही वन के बाद वन

इन सबको यहीं छोड़
अन्धे घोड़े पर चढ़ा
कहाँ जा रहा है वक़्त का सवार?

एक

ओ वसन्त के फूल
ओ पलाश की लाज
ओ घास भरी हवाओं
पीली साड़ी में सजी ओ चाँदनी,
मैं हाथ जोड़ता हूँ—
मुझे छोड़ दो इस बार

तुम्हारा वार झेलने की शक्ति
मुझमें नहीं रही

दो

घायल कण्ठ के गीत जैसी यह ऋतु
रात के शव को ढके कफ़न सा यह दिन
ये नीले पर्वत
वे उत्ताल समुद्र
पीले पके छबीले खेत

अब मैं ये तुम्हें सौंपता हूँ, तुम्हें
मुझसे अब ये बर्दाश्त नहीं होते

तीन

समुद्र की भाँति सन्नाटे ने करवट बदली
आकाश बहने लगा आँसू जैसा
लगता जैसे समय ने आत्महत्या कर ली

इस भयानक पतझड़ के बाद
पेड़ों की टहनियाँ
फिर खोलेंगी वसन्त का रेशमी रूमाल
मगर मुझे क्या उससे?
मैं तो फिर भी उदास ही रहूँगा
और ज़्यादा उदास

चार

पर्वत क़िले और समुद्र
निकले कहीं ज़्यादा सरल
उन पर्वतों, गढ़ों और सात समुद्रों से
जो मैं सुनता था
कहानियों में बचपन की

काश, परियों और राजकुमार
दोस्त और राक्षस
उतने ही साफ़ और सच्चे मिलते
जितने सुनता था लोककथाओं में

पाँच

कल देखने निकले थे ताज
इतिहास की गदली झील में खिला
आषाढ़ का प्रथम पुष्प;
प्रेम का अन्तिम रूप—
फिर वही पत्थर

वह तो थी कल की बात
आज ऑफ़िस का दिन;
राधा और कृष्ण के रास के बीच
कलम की कुदाली सँभाल
फ़ाइलों के पर्वतों से फिर जूझना...

छः

ये मल्टीस्टोरी इमारतों के काम्प्लेक्स
मोमबत्तियों से रौशन शराबघर
भिखमंगे, सेठ, छोकरियाँ, गिरहकट और दलाल
धुएँ का हॉर्न उड़ाती कारों की क़तार

और इन सबके बीच
उन्हीं के दर्दों की थाप पर नाचता वक़्त का हिजड़ा

मेरी उदासी की नदी
मेरे ही भीतर फिर कहीं डूब गयी

सात

लपलपाती लालसा से ताकता
समय का खूँख्वार भेड़िया खड़ा बाहर
अपनी खाल की रक्षा के हित
मैं अपने ही भीतर घुसने की कोशिश में;
सीढ़ी दर सीढ़ी उतरता उतरता
पहुँच गया पता नहीं कहाँ

कंकालों के द्वार
लाशों के पर्दे
दुखों की खिड़कियाँ :
स्मृति और तर्क की चाबी
उस भयंकर तिलिस्म को न खोल सकीं

अन्दर से डर कर
मैं फिर भागा बाहर
समय के भेड़िये से डरने के लिए
जो अब भी वहीं खड़ा था
उसी तरह...

आठ

वसन्त के घुड़सवारों से घिरा क्षितिज
रूप, ऐश्वर्य और लालसा का
इतना खुले हाथ बिखराव

सुख के ऊँचे वृक्षों के तले
ज़्यादा गहरी लगती
मेरी उदासी की झील

नौ

फलों की सीटियाँ बजाता
वसन्त फिर आ गया

क़ब्रों में दफ़नाई संगमरमर की हड्डियाँ
नहीं देख पायेंगी उसे;
जिन शरीरों के ऊपर वे फूल खिले
उन फूलों को वे ही रूपवान शरीर
अब नहीं देख सकते

वसन्त का सच्चा गीत
सिर्फ़ उदासी का गीत
एक दिन तुम भी यही बात मानोगी

दस

हिंडोले जैसी झूमती पागल ऋतु
वक्ष-सी फड़कती हवाएँ
तुम्हारी साड़ी की भाँति फैली हरी-हरी घास
वर्षा का अनन्त क्रम
झील सा डूबेगा दिन

निगाहें फिर मुड़ गयीं घड़ी की ओर
वही एक सच्ची दिशा
हो गया दफ़्तर चलने का वक़्त

ग्यारह

दोपहर की शाखों पर
कोयल कूक उठी

नावों पर कसेंगे कहीं पाल
वनों में चौकड़ी भरेंगे हरिण
शाल के वन पत्तियाँ बदलेंगे
बाँस की झाड़ियों पर
साँझ डूबेगी;
दोपहर की शाखों पर कहीं
कोयल कूकेगी फिर एक बार

फूटेंगे अब अमलतास
फ़स्लें खेतों से माँगेंगी विदा
चाँद नयी पोशाक पहिनेगा
दर्द फिर करवट बदलेंगे

मेरे जीवन की तड़पती गहरी लीक
फिर नहीं छूटेगी
हाय...

बारह

ऋतु के कुण्डल ने
मुझे फिर जकड़ लिया

नीले पर्वत और समुद्र
युद्धों में चीख़ते जहाज़
हिरनों की तरह वन में घावों से मरते सैनिक
और इधर नयी पोशाक में सजा
अन्धा और हथियारबन्द
मेरे यौवन का राजकुमार

तेरह

मई की शुरू दोपहर
पीले-पीले पक्षी
सिर पर मँडराते हुए
उत्तर दिशा को उड़े

इतने वर्षों बाद महसूस हुआ आज–
वह मेरी युवावस्था थी

चौदह

आँखों की मुस्कुराहट हो गयी पत्थर
ओंठों से खिंच गयी हँसी की शराब

इन्हीं ईमानदार हाथों से
क़त्ल किया था मैंने अपने को
वहाँ कोई और नहीं था
मेरे ऊपर सिर्फ़ कुछ
नीली चिड़ियाँ उड़ती हुई गुज़री थीं

पन्द्रह

प्यार, घुड़कियों, फ़ाइलें और हजामत
कान्वेण्ट के लिए तैयार होना बच्चों का
बढ़ते दाम, ईर्ष्या, सुख-दुख और भय
ऋतु का हिंडोला और चन्द्रमा का जाल
पहाड़ों पर डाक बँगले में चाय का कप
चेकबुक, प्रोविडेण्ट फण्ड, कविता और सेकिण्ड शो
देह की भूल, शाम की उदासी
और कभी-कभी एक चेहरे की याद–
रेल की पटरियों की तरह
अपने ही नीचे दबी

पाप और पुण्य से विरक्त
हम सबसे उदासीन
गुज़रता जा रहा है चालाक वक़्त
हमारे ही माध्यम से
हम सबके ऊपर

वह फिर कभी नहीं लौटेगा
कभी नहीं

सोलह

यौवन का दैवी धनुष
मुझसे टूट गया;
मखमल के जंगल
हाथ से फिसल गये;

शाम हो गयी;
बाँस की झाड़ियाँ
हाय, अब चाँद पहिनेंगी

सत्रह

आकाश से झड़ती बादलों की पत्ती
हवा से टकराती हवा
मौत का भी होता एक मौसम

जेब में झुर्रियों के सिक्के डाल
तुम खोजते रहे यौवन को
जुते हुए खेतों में यादों के फूल

मैं तो अपनी आँखों के बदले
देखना चाहता अन्तिम पतझर
क़ब्रों का आख़िरी चौकीदार

अठारह

बकरी के गले सा काटा गया चाँद
सलीब पर टँग गया समुद्र
बिक गये दिनों के बूढ़े गुलाम
आँधी में उड़ गया खुशियों का पुराना फ्राक

उम्र ने मुट्ठियाँ खोल ही दीं
आख़िरकार

उन्नीस

फटे पाल उड़ाती बूढ़ी नाव
चितकबरे घोड़े पर सवार दुर्दान्त समय
साथ-साथ तट पर दौड़ता
मुझे पकड़ने के लिए;
वर्षा में भीगती बत्तखों जैसी मेरी देह
मुझसे ही चिपट गयी

वहाँ पहुँचने की व्यर्थ उत्सुकता;
कौन है अब तट पर मेरा
पतझर की उन पत्तियों के सिवा?

बीस

लड़कियाँ और पिकनिक
नाच और शराब
फ़र्नीचर, शेयर्स और यात्रा;
खुशियों का पहिने कवच
तुम होते गये उदास

भट्ठी में कोयला झोंकता फ़ायरमैन
सड़कों पर पत्थर तोड़ता वृद्ध
भिक्षा माँगता अन्धा
समुद्र जीतते मछियारे
कलम घिसता अधेड़ बाबू
वज़न ढोते पहाड़ी कुली

बोलो, बोलो क्या बनना चाहते हो तुम;
बोलो
किसी भी सुख की क़ीमत पर ख़रीद लो वापिस
अपनी वही पुरानी हँसी

इक्कीस

फिर मैं अन्तिम समुद्र के तट पर पहुँचा
जिसकी छाती में छिपे थे ढोल
रक्त का खिला था कमल : शेषनाग—अनन्तदेह
कुण्डल पर कुण्डल पर कुण्डल;
युवा दावानलों में जलती सुन्दरियाँ
विष बुझे बाणों से आत्महत्या करते अमीर
उम्र की भीख माँगते नपुंसक राजकुमार

फिर मैं अन्तिम समुद्र के तट पर पहुँचा—

बाईस

आँखों की खिड़की पर
अभी भी लटका है वह बन्दरगाह
उस समुद्र के टुकड़े
जेब में शायद अभी भी हों

बड़ी सर्द थी वह रात
जिस रात थके मल्लाह तट पर लगे;
अपनी हड्डियाँ जला-जला
अँधेरे को मैंने आँखें दीं?

तेईस

ऋतु, चाँद और भीड़–
इन सबसे उसे जो कुछ मिला
उसने मुझे दे दिया

गहने उतरी गाँव के पतझर की वह सड़क
नंगी होकर झील में डूब गयी;
उसके बाद मुझे जो कोई भी मिला
वह उदास था

चौबीस

पत्तियों के साथ ही साथ
ख़ुशी पीली पड़ गयी;
ऋतु की मासूम लड़की ने
अपना गला ख़ुद ही घोंट लिया :
रात में बजते ढोल की तरह
बीते दिन चले गये
नदी के उस पार

इस बार जो पतझर आया
वह अन्तिम था
अब मेरे पास टूटने को
कुछ नहीं रहा

पच्चीस

सचमुच उसे कुछ भी पता नहीं था
सचमुच

वक़्त कभी मरता नहीं
उसका सिर्फ़ क़त्ल किया जाता है;
फ़स्लें जो हैं वे खेतों के कपड़े हैं
जिन्हें बदलती है ऋतु;
दिन खाता है रात
या रात निगलती है दिन को?
चाँद ज़्यादा पागल है या चाँदनी
समुद्र ज़्यादा नीला है या पर्वत
प्यार ज़्यादा सच्चा है या कि मौत?

उसे कुछ भी पता नहीं था;
एकान्त में बहते आँसू की भाँति
अचानक जब वह मुझसे मिली

छब्बीस

जवानों से भरी स्पेशल ट्रेन
अभी-अभी गुज़री
कुछ सिपाही तो इतने ख़ूबसूरत थे
कि ऋतु भी उन्हें देखना चाहती—

सूर्यास्तों की छाती पर बिछी पटरियाँ
पुलों के सलीब पर टँगी नदी
और इन सबको पार करने के बाद
ये जवान नाचेंगे मृत्यु का नाच
उन लड़कियों के साथ
जिन्हें इन्होंने कभी नहीं देखा

सिगनल झटका देकर हो गया सीधा
सिगरेट से जलने लगा मेरा हाथ
मैं खड़ा रहा वहीं प्लेटफ़ार्म पर;
क्लॉकरूम में एक पुराना ओवरकोट
उसी तरह टँगा रहा

सत्ताईस

नदी क्या थी—एक जमी हुई गति
आकाश—एक लटकता हुआ चूहा
मौसम—पतझर की अन्तिम पत्ती
प्रणय—एक नकली शानदार पत्थर
जो जानबूझ कर हमने एक-दूसरे को दिया;

शरीर—एक अजीब छाता
जिसके खुल जाते ही तन जाते दर्द के बाद दर्द
दिन हजामत बना सूट पहने साहिब
जिन्हें आज कहीं नहीं जाना

ज्वार उतरने के बाद
तट पर तड़पती होंगी मछलियाँ इस वक़्त
तुम भी चलो देखने मेरे साथ

अट्ठाईस

भयंकर शीत की लहर
विण्डस्क्रीन के आगे चमकती नहीं
विण्डस्क्रीन भी;
अख़बार में ख़बरें पढ़ते-पढ़ते
और भी ठिठुरने लगते हाथ;
धूप हो गयी वन को गयी सीता

दूर कहीं बर्फ़ में दबा होगा वसन्त का लावा
ऋतु के जवान मज़दूर
खोदेंगे उसे कुछ ही दिन बाद

मगर यहाँ तो चमकेगी वही
विण्डस्क्रीन से केवल मोटरों की क़तार
मिल की चिमनियाँ और दफ़्तर
बाबू लोग और मज़दूर

वसन्त वहीं घाटियों में चीड़ के तले
मेरी प्रतीक्षा करेगा
और फूलों की मोमबत्तियाँ जलाकर
लौट जायेगा वापिस
पाँव पर रखता पाँव;
काश...

उन्तीस

दिशाओं ने बदल लिया ऋतु का गाउन
चटक उठीं वन की कलियाँ
हवाओं की बाँहें हो गयीं लम्बी
वसन्तों का पीछा करते आश्विन के मेघ

बन्द हो गयीं अदालतें, दफ़्तर और कहवाघर
सब कुछ बदल गया
तट से लेकर नावों तक

शाम मगर फिर भी रही उतनी ही उदास
चाँद उगाने वाली साँवली लड़की
जो हमेशा की तरह
फिर सिमट आयी मेरो आँखों में
और उसके बाद
आँसू बनकर ढल गयी चुपचाप

तीस

पत्थरों की गुहा में क़ैद मेरा जिस्म
कठघरे में बन्दी युवा शेर
काश, मेरी आत्मा भी हो सकती पराजित

वसन्त, वर्षा और सूर्यास्त
सब छिन गये बाहर :
देखने को बित्ता भर आकाश
घास के फटे स्वेटर को पीला रँगती धूप
और चबाने को मिलता
रोज़ वही एक सा एक अदद दिन

मत बनाओ मुझे अतिरिक्त अपराधी
सबने माफ़ कर दिया मुझे
तुम मत करना

इकतीस

युद्ध, भुखमरी और कंकालों के द्वीप
पाप और स्वार्थ के उत्ताल समुद्र
गहरे और अनन्त

शायद एक दिन आयेगा ऐसा भी
एक नये जीवन की खोज में
निकल पड़ूँगा मैं एकाकी
अपनी इसी देह की डगमगाती डोंगी पर
साँसों के पाल खींच
पीली यात्राओं के लिए—

वे यात्राएँ
जो मेरी ही प्रतीक्षा में
आँखें खोले खड़ीं
कहीं दूर—
क्षितिज के पार जो और क्षितिज

एक

तुम उलझे रहो फ़ाइलों में
तुम सुनते रहो मुक़दमे
देखते रहो कठघरे में मुजरिम और गवाह
तुम करते रहो ठेकेदारी
और तुम करती रहो नखरीले प्रेम और बच्चे

मैं तो चला—
इस हरे हरे तट के अनन्त लॉन पर
भाद्रपद के मेघों को बाँहों में भरने

दो

दुःखों के तेज़ाब में डूब
चमक उठा शब्दों का सुवर्ण :
अनिश्चय की दूरियाँ जीतने के लिए
दौड़ पड़ा कवि के अश्वमेध का घोड़ा
क्षितिज के बाद क्षितिज

तीन

भाद्रपद की घिरती गहराती साँझ;
दिशा के जूड़े में
खोंस दिया मौसम ने नंगा फूल,
सोती होगी झील
सो गया होगा हंस कहीं हंसिनी के पास

मन तो बेलगाम चला गया कितनी दूर
आओ, छोड़ दें शरीर के घोड़ों को भी
इनकी यात्रा पर

चार

आकाश से झड़ने लगे मेघ
दिशाओं से गिरने लगीं हवाएँ
फूलों ने खोद लीं अपनी क़ब्र :
इस बार जो पतझड़ आया
उसमें पत्ते नहीं
बल्कि पेड़ ही गिर गये

एक याद की मशाल पकड़े
बीते वर्षों की मेहराबों में से
मैं घुसता गया किसी पुराने महल में
अपनी पदचापों को
अपने ही जूतों से कुचलते हुए

पाँच

आकाश के अखाड़े में
पहलवानों की भाँति लड़ते रहे मेघ
आज सुबह बड़ी बारिश हुई

तीसरे पहर के बाद आसमान साफ़ :
पके गुलाब की तरह
शाम खिली

बिना किसी बहस के
एक दिन और बीत गया

छः

सींकचों में उग आये
बादलों के खेत
इतने शानदार दिन को
आँख में आँख डाल
मैं नहीं देख सका

सात

फिर घुमड़ आये काले कजरारे मेघ
घिर आयी वर्षा
वनों में कहीं सती हो गयी साँझ
मर गया सूरज का राजपूत

साल दर साल बीतते गये
उनसे ज़्यादा गति पर मैं बीता
समय की चमकदार कुल्हाड़ी
आ गयी गर्दन के और पास

कितनी वर्षा की ऋतुएँ देखीं मैंने;
पर जब-जब आयी वर्षा
वह हमेशा पिछली से अलग थी

आठ

फ़ाइलों पर फ़ाइलों के ढेर
ट्रंक काल और स्टेनोग्राफ़र के बीच
अँगीठी में बुझते दफ़्तर के दिन
एक के बाद एक...

और इन सबके बीच
आँखें मूँद
मैं फिर खो गया सूर्यास्तों में

नौ

तुमने जूड़े में फूल खोंस लिये
फूले पलाश जैसा चाँद दहक उट्ठा

किसी दुर्घटना के कारण
सारे का सारा मौसम
ख़ुशी में बदल गया सहसा

दस

क्या जीवित थे हम इस जीवन से पूर्व
या मर जाएँगे इसी मृत्यु के साथ :
ईश्वर का होना या न होना
सत्य या मात्र भ्रम, भय और विश्वास;
कर्मों के फल, भाग्य का चक्र
ये सब सच या मज़ाक़?

वे जो दो नवयुवक प्रेमी
जा रहे रौंदते गुलाबों को
बाँहों में बाँहें डाले
वे इन सब प्रश्नों से परे

ग्यारह

खेत खेत बो दी गयी ताज़ी हवा
रोप दिया किसी ने ऋतु का फूल
लड़कियाँ लगने लगीं सहसा सुन्दर
नवयुवक हो उठे व्याकुल

उन वनों के पार जो अगले वन
चन्द्रमा का छाता लगाये उनके बीच
मौसम का बूढ़ा जादूगर
अपनी छबीली पिटारी
फिर खोल रहा शायद

बारह

लालच और वासना की धूप
बदल ही गया मौसम आख़िरकार
वे सब लोग फिर हो गये ज़िन्दा

इमारतों के उस जंगल में
भीड़ की झील सहसा चमकी
और उसी में डूब गया
तेरे रूप से सजा तेरे रूप का चाँद

तेरह

शराब की तरह रात
मुझमें ढली;
उम्र की गलमुच्छों से लदा
ज़िस्म का पुराना कुत्ता
बिना बात मुझे फिर काटने लगा

वनों में बुरूँस फूले
नयी ऋतु के शकुन;
कहीं कोई लड़की मुस्कुराई

चौदह

सुनसान सड़कों के वृक्षों की छायाएँ
बादलों के वस्त्र पहिन
विण्डस्क्रीन पर नाचने लगीं—एक के बाद एक :
गीत गोविन्द, विद्यापति और सूरदास के युवा गीत
एक साथ उतर आये आँखों के फ़र्श पर

नाचने लगे राधाकृष्ण अपना चिरन्तन रास
हम जब पहुँच गये वृन्दावन के पास

पन्द्रह

वन के बाद वन
वसन्त के या पतझर के;
बाँहें खोल बुलाते पर्वत
जाल फेंकता समुद्र
दिशाओं के दुपट्टे और चाँद का कालीन

घाटी में बसी काटेज
महानगर का ट्रैफ़िक
और इन्हें चौकस करता सदियों का इतिहास;
स्वयम्वर से पहले टूटता धनुष

सोलह

पर्वतों ने उतार दिया बर्फ़ का लबादा;
फ़ुटपाथ पर पड़ी नंगी मासूम लाशों की तरह
दिनों के छोटे छोटे बच्चे :
जिन सबको अपनी बाँहों में जकड़
लम्बी साँसों की तरह हाँफती
सर्दियों की रातें चली ही गयीं आख़िरकार

आकाश ने उलट दिया
ऋतु का फूलदान धरती पर
गुलमुहर और पलाशों की पोशाक पहन
धूप निकल आयी क़ब्रों से
उतनी ही चटक और शोख़;
हवाओं में डोलेगी अब
चाँद की मशाल

तुम नहीं देखना वसन्त को इस बार
वह सिर्फ़ मेरे लिए आया है
सिर्फ़ मेरे लिए....

सत्रह

उस वसन्त के वर्ष
बिना किसी कोशिश के सारी दिशाएँ जीती गयीं
बिना किसी लालच के
टूट गयी हर परिचित सीमा
उस वसन्त के वर्ष

एक आकर्षक तलवार के कारण
बिना किसी मशाल के
वहाँ हो गया प्रकाश;
पहले जली पत्ती
फिर वृक्ष
इसके बाद क़तारों में जले
वन के वन

अट्ठारह

नीली हरी पहाड़ियों के तहत
डूबते सूरज की बेग़म
दरबारियों से झुके देवदार के पेड़
क्षितिज की जंज़ीरों से बँधी
दक्षिण देश की अपराधी हवा

ज़िन्दगी का एक दिन हाथ में पकड़े
—अशर्फ़ी की तरह—
रोज़ आता हूँ यहाँ
और दरबार से निकाल दिया जाता
थोड़ी देर बाद

मुझे पूरा पता
मेरे चले आने के बाद
बेग़म हो जाती
और भी सुन्दर और युवा

उन्नीस

पलाशों के प्रकाश में
छिप गयी दिशा के बाद दिशा;
रूप के तट
मान के कगार
लाज के द्वीप;
वसन्त की आँच में
छिप गया सब कुछ :
वासना की नदी ख़ुद ही में डूब गयी

सिर्फ़ मैं ही खड़ा रहा एकाकी
सब कुछ देखता हुआ :
उस वसन्त में छिपाने को
मेरे पास पाप तक नहीं थे
हाय...

बीस

रंगों की आहें बन गयीं फूल,
किसी वनपाखी की आवाज़ के साँचे में
ढल गयी एक पीली पत्ती,.
आवाज़ बनने को दिशा खोजता सन्नाटा
तुम्हारी देह जैसा कसा गोरा दिन
राधाकृष्ण की अनन्त छवि
आज मैं वनों में वसत से मिला

इक्कीस

आकाश का युवराज
मेरा बचपन का सनकी दोस्त
कभी पहनता वर्षा की झालर
कभी बाँधता धूप की पगड़ी :
मात्र अपने गाउन बदलने में
इसका सारा जीवन बीत गया

पतझर के नीम की आख़िरी पत्ती
खींचती मुझे वन की ओर
किसी जादूगरनी के क़िले में क़ैद
खिलने को रो रहा होगा बेबस
फिर वही पलाश

बाईस

रूप के उद्दाम दरिन्दे ने
फिर घेर लिया मुझे
कपड़ों के छिलके उतारती लड़की

सारी परम्परा, चरित्र और संस्कार
जलती दिशा की भट्ठी में फेंक
मैं हो गया पराजित
फिर एक बार

तूफ़ान के बाद आना था तट
पुराना कवच मैंने फिर पहिन लिया
ढूँढ़ लिये हथियार
और विश्वासों के लंगर कसे हाथों पकड़
मैं उस युवा क्षण की प्रतीक्षा में खड़ा हो गया
जिससे मुझे फिर पराजित होना था

तेईस

दिगन्त में बो दिये किसी ने
अग्नि के बीज
शैल चूड़ाओं के वक्ष पर
रोप दिया वसन्त ने
लालसा का फूल

रूप के लालच की फाँसी पर
मेरी मासूमियत
आज फिर लटक गयी

चौबीस

उस लज्जित ऋतु का हाथ पकड़
मैंने खोल दी नाव
ताली बजाकर पाल़ चढ़ा लिये :
शरीर के धनुष की डोरी
अपने पास कसने लगी
कसने लगी

लीची के वृक्षों से लदी सड़क के किनारे
क़ब्रिस्तान के मुर्दे उसी तरह सोते रहे
पत्थरों के हाथ उठाये;
अगर कहीं वे देख पाते मेरी ख़ुशी
तो ज़रूर नाचने लगते

पच्चीस

वसन्त आ गया—वसन्त
सौन्दर्य की मशाल पकड़े जल्लाद की तरह

आज सारी चीज़ें भोगने की चाह
शरीर के साथ मन और आत्मा भी
क़ैदी की अन्तिम इच्छा

छब्बीस

इस महानगर के बीच से गुज़रते हुए
अक्सर अहसास होता है तराई के वनों में गुज़रने का
पहाड़ों की यात्राएँ
फिर आ जातीं जैसे मोटर के पास :
चारों ओर खूँख्वार दरिन्दे
जिनके बीच मैं हो जाता
एकाकीपन से ज़्यादा एकाकी

कल फिर मिल गयी थी वह
बहुत अरसे बाद
उसके गाल और वक्ष अभी तक हैं उतने ही युवा
झुर्रियाँ आयी हैं मात्र आँखों में...

चित्रों में खिंचे वृक्षों से लौह खम्भों पर
अब खिलेंगे रोशनी के फूल
परियों के पंखों से ढकी यह साँझ
मैं रूमाल में बाँधना चाहता

सत्ताईस

कितने अभागे लोग
जा उतरे चन्द्रमा पर
उनके सारे स्वप्न और रहस्य
हो गये पत्थर

मेरे लिए चाँद वैसा ही रहा
जैसा बचपन में था
वह मुझ पर उतरता
अब भी उतनी ही सजधज के साथ

पास जाने के लिए शायद बना ही नहीं
तुम्हारे यौवन का ऐश्वर्य और रूप

अट्ठाईस

उन्होंने छीन लिये मेरे सारे हथियार
सारा ज्ञान जेब से निकाल लिया
सारा भविष्य, विश्वास और आशाएँ
मुझे देनी पड़ीं चुपचाप

मगर बाद में मैं बहुत ख़ुश था
अब मैं सिर्फ़ आदमी था
सिर्फ़ आदमी

उन्तीस

उम्र क्या वास्तव में छीन सकेगी
रूप के प्रति मेरा अदम्य मोह?
लाज से लाल गुलाब
क्या सचमुच हो जायेंगे अनुभव से चुपचाप?
राजकुमार जैसे सजे उस रास्ते से
फिर क्या नहीं लौट पाऊँगा कभी?

नहीं नहीं नहीं
ऐसा कभी नहीं हो सकता
जिस दिन हो गया ऐसा
वह होगा मेरी मृत्यु का अन्तिम दिन

सूर्योदय लगता आज
प्राची के तट पर जलता हुआ जहाज़;
मगर दिन कल फिर निकलेगा—
जाल से छूटे पक्षी की भाँति
प्रकाश के पंखों में सजा

तीस

फिर वह पहुँच गया समुद्रों के तट पर
कोई नहीं था वहाँ
जो उसे राजकुमारी के पास जाने से रोकता
कोई राक्षस नहीं मिला युद्ध को तैयार
वह बैठा रहा वहीं
क़िले के बाहर

जिस रूप के लिए तड़पता रहा वह सारी उम्र
जिस यात्रा के लिए उसने
अपनी खाल, नसों और हड्डियों से बनायी थी नाव
जब आया उसके पाने का वक़्त
उसने मोड़ दी घोड़े की लगाम

एक

दफ़्तर, मीटिंग, डिनर और यात्रा के साथ-साथ
पत्नी के साथ प्रेम और हजामत,
बच्चों के साथ पढ़ना कोई लोककथा—
इन सबका भी समय हो गया निश्चित :
संयम का ओवरकोट होता गया भारी
मैं अपनी ही खाल में सिलता गया
अपनी नसों के धागों से
वर्ष के बाद वर्ष

मैं पागल नहीं हूँ अभी तक;
मैं तो चाहता हूँ पागल होना
ताकि फिर जा सकूँ उन पहाड़ी मैदानों तक—
जहाँ झाड़फ़ानूस से लटके
बड़े-बड़े गोल और लाल चन्द्रमा को पकड़ने के लिए
ऊँची-ऊँची घास के बीच
अभी भी गुज़रते हैं ख़ूबसूरत घुड़सवार

दो

तुम हो गये ज्ञाता
तुम्हारी प्रार्थनाएँ हो गयीं समाप्त
सारे भले काम कर लिये तुमने
तुम हो गये यशस्वी और पवित्र
सच बात तो यह
तुम मर चुके कभी के

मैं मगर जीवित हूँ अभी
और जब तक दिशाओं की शाखों पर
दहकते हैं रूप, पाप, यौवन और दुःख
तब तक
मैं जीवित ही रहूँगा

तीन

नीले उत्ताल हाथों में पकड़
दिशाओं को निरन्तर चूमता मत्त समुद्र :
हरे मैदानों के तट पर
बाँसों के फूलों पर बिखरा वसन्त
गोली लगे युवा पक्षी जैसी तड़पड़ाती हवा;
रात की लाश के पास
मोमबत्ती-सा झिलमिलाता तारा

इनके बीच अनन्त यात्रा पर निकला मैं
फिर कभी वापिस नहीं लौटा

चार

सारी आशा, विश्वास और शरीर
मैली और प्रेम
सूख गये आँच में स्वार्थ की
अपने या दूसरों के;
जीने के लिए कुछ भी नहीं रहा शेष
कुछ भी नहीं

मगर हज़ार फ़ैसलों और पाप के बावजूद
बाहर आकाश अभी भी नीला
और फूल पीले
बच्चे हँसते किलकारी भर-भर कर
युवतियाँ अभी भी रूपवती :
लगता है जैसे शायद जीना ही पड़ेगा

पाँच

किसी लगातार पिटने वाले मोटे कुत्ते जैसी आँखें
बादलों के बगीचे में
चाँद का लटकता हँसिया देखकर
हो गयीं एकदम शान्त :
वह शायद हो गया मसीहा या फिर मरणासन्न
बीते हुए पैंतालीस वर्षों के मील का पत्थर

किसी ने कमरे में फिर आह भरी
शीशे का दरवाज़ा फिर झनझनाया

छः

पलाश जैसी मखमली हँसी हँसती वे युवतियाँ
अपने सख़्त चमड़े में जिल्दों जैसे बँधे वे दार्शनिक
वसन्त से सजे वे युवक,
वे बैरिस्टर, सर्जन, योद्धा, वेश्या और पादरी
सबके सब सहसा हो गये अभिनेता
और नाटक का अन्तिम दृश्य खेलने लगे

समय की खोपड़ी निकली सिर्फ़ मकड़ी का जाला
मंच निकला चिता या क़ब्रिस्तान
पर्दे थे किये गये पाप या फिर प्रेम
जिनके धब्बे धो नहीं पाई थी शराब :
वह एक ऐसा नाटक था
जिसे किसी ने कभी नहीं लिखा
पर जो फिर भी सबको ज़ुबानी याद था

उनकी रीढ़ की हड्डियाँ चटखने लगीं
काँपने लगी उनकी परछाईं
उन्होंने इतने दर्दनाक डायलॉग बोले
कि उनके दाँत और ओठ गिरने लगे
लड़कियों की नंगी टाँगें उनसे अलग हो गयीं
और फँस गयीं युवकों की टूटी बाँहों में
वे इतना नाचे
कि सब टूट गये
सट्टा लगाते सोने के दिन
मदिरा पीती वर्षा की साँझ
ताश फेंटती चन्द्रमा की रात्रि

झूठे वादे, षड्यन्त्र और मुकद्दमे
सब के सब बैठ गये बेंचों पर
पहिने हुए एक भूरा-सा ओवरकोट
और देखते रहे वह नाटक
जो इतना दिलचस्प और शाश्वत था
कि हँसी और आँसू का फ़र्क़ ही मिट गया

वसन्त से सजे वे युवक, मखमल की वे लड़कियाँ
वे वकील, वे डॉक्टर, जनरल, वेश्याएँ और पादरी
जज और अपराधी
वे सब के सब अभिनेता बन गये सहसा
और उस नाटक का अन्तिम दृश्य देखने लगे

सात

चीड़ की ये रेशमी और महीन पत्ती
गुलमुहर, अमलतास और कनेर के रंग-बिरंगे फूल
सब दबते गये मेरे फटे जूतों के तले
मुझे दबाता गया मेरे जीवन का भार
एक मुर्दा दूसरे मुर्दे को दफ़नाता जाता

इस पहाड़ी पगडण्डी के उधर कुछ नहीं मिलेगा मुझे
सारा माहौल उन खुशियों की भाँति पराजित
जो किसी कमल के भीतर बन्द हो गयी थीं कभी
और जो कमल फिर कभी नहीं खिला
सूख गयी थी अचानक पूरी झील

शोक की अन्तिम सीमा हो गयी हर्ष
सुख और दुख में कोई फ़र्क़ ही नहीं रहा
मैं होता जा रहा धीरे-धीरे अन्धा
मगर उससे क्या?
रोने का अधिकार तो अभी भी मेरी आँखों में बन्द

लोक कथाएँ फिर निकलेंगी झूठी
मेरी आँखों के आँसू सिर्फ़ सूखेंगे
ताकि और आँसू निकल सकें
कोई राजकुमारी नहीं आयेगी मेरी बाँहों में
जिसके छूने से ये मोती बन सकते

आठ

पैंतालीस वर्षों का यह मेरा जीवन
एक लम्बे मुकद्दमे की भाँति घिसटता गया
बिना बात बेमतलब
तारीख़ के बाद अगली तारीख़

ज़िन्दगी ने मुझसे कुछ नहीं दरियाफ़्त किया
वह तो ख़ुद ही होती रही अदालत में पेश
वे वकील और गवाह कहाँ से आये थे
मुझे कुछ नहीं पता

अर्से बाद मामला कहीं कुछ पहुँचा
मगर तब तक मैं हो चुका था पागल
मुझे सिर्फ़ इतना बताया गया
कि मुक़दमा अभी और खिंचेगा
और मुझे अभी और ज़िन्दा रहना पड़ेगा
क्योंकि मेरे कभी ख़ुश रहने का संगीन ज़ुर्म
अभी साबित नहीं हो पाया

नौ

मैं जागता रहा लगातार
उस नाटक को देखने के लिए
जिसे हीरे जवाहिरातों से लदी उस रूपवती युवती ने
कभी नहीं खेला
कभी नहीं

रात को पुल से उतरती डाकगाड़ी की तरह
उम्र गुज़रती गयी
इसकी शान, रोशनी और गति
मात्र दूसरों ने ही देखी
मैं तो भीतर बैठा
पढ़ता रहा एक दिलकश जासूसी उपन्यास;
पहले उसके पढ़ने की जल्दी थी
और अब है उसके ख़त्म होने का डर

मैं बाहर देखता हूँ खिड़की से :
हर कोने में छिपा है कोई प्रेत
हर सड़क जाती है जेलख़ाने को
आसमान है बिना पालिश किया पुराना जूता
और हवा के फ़ीते फड़फड़ाते हैं
कोई चला जाता है इन चौड़ी सड़कों से
अपनी आवाज़ छोड़कर इसी जगह
जैसे गिर गया हो किसी का रूमाल
मेरी ज़िन्दगी है एक दुमंज़िली इमारत
इसके ऊपर के तल्ले पर
डांस होता है

जाज़ बजता है
पर इसके नीचे एक तलघर है
उसे भी देखोगे कभी मेरे साथ?
उसमें भी रहता है एक शरीफ़ इंसान
जो बच्चा भी है और विदूषक भी

वह नंगा है, वह रोता है और इसके साथ-साथ
वह ख़ुद ही ढोता है अपनी लाश को लगातार
ताकि उस लाश की चोरी करके
कोई वीर विक्रमाजीत उससे कथाएँ न सुनने लगे

एक शानदार शव
एकदम उस स्याही की तरह
जो हमेशा कितनी सस्ती थी
पर मौत और ज़िन्दगी के फ़ैसले
सदा उसी से लिखे गये

दस

तुम्हारी आवाज़ की गर्मी और हँसी की तुर्श हवा
मौसम की भाँति तुम्हारे ओठों का खुलना
नाव के पाल की तरह तुम्हारी पलकों का उठान—
यह सब मैं शायद सह सकता;
पर चश्मे के पीछे से इस तरह मत देखो मुझे—
मैं वह चूज़ा कभी नहीं रहा
जो प्यार के डैनों से ढक जाए पूरी तरह :
तुम मुझे इस तरह मत देखो

वक़्त नाम का जानवर
मेरा दुश्मन ही रहा अक्सर
उसने आख़िरी पत्ता हमेशा तभी फेंका
जब मेरे सिक्के ख़त्म हो चुके थे बिल्कुल

बीत गयी वसन्त की छबीली ऋतु :
नौटंकी जैसी सजी धरती की जाजिम पर
अमलतास, सेमल और कनेर के गहने पहिन
बिना बात नाचती राधा जैसी ऋतु :
चैत्र की धोबी की धुली धूप अब चली गयी
चला गया फाल्गुन का रंगरेज़
सोचता हूँ
अब मेरे जवान रहने से क्या फ़ायदा?

पुराना रेशमी फ्राक डाल
अलसायी लम्बे-लम्बे डग धरती
बीत जायेगी गर्मी भी

जमुहाई लेते-लेते;
और फिर से आयेगा कालिदास का आषाढ़
बोलेंगे मोर—उधर वनों में—
झीलों में कूकेंगे कामविह्वल कोक
सारसों की डार फिर बिछुड़ेगी;
क्या फिर से होगी दिशा के बाद दिशा नयी?
मेरी आँखों में क्या फिर से खिलेंगे शराब के फूल?

कमलों के क्षितिज
मेघों की साँझ
पावस के सूर्यास्त
अब मेरे नहीं रहे;
मैं चाहता भी नहीं
कि मेरे घायल अंगों पर कोई नया घाव लगे

यह रोज़मर्रा की ज़िन्दगी
अब सँभालनी हो गयी मुश्किल
अख़बार, चाय का कप, इस्तरीदार कपड़े और दफ़्तर,
एक कमरे से दूसरे में जाना
पालिश किये जूतों में,
रेलगाड़ियाँ, सिगनल, साथ छोड़ते खेत, आँचल छोड़ता रूप—
इन्हें मैं अब नहीं पकड़ सकता
इन्हें अब तुम पकड़ना

कभी-कभी लगता है कि मैं तो मर चुका कभी का
यह दीगर बात है कि साँस लेता हूँ
पुरानी आदत जो ठहरी
जो भी ख़ुशी की कोई बात कहता है
सोचता हूँ, उसे अपनी ज़िन्दगी का एक दिन दे दूँ

मगर शर्त बस यही है दोस्त
कि चश्मे के पीछे से

प्यार भरी नज़रों से मत देखना मुझे :
जिस चिराग़ की बत्ती ही नहीं रही
उसे दियासलाई क्यूँ दिखाते हो?
आख़िर क्यूँ?

ग्यारह

तलवार-सी तीखी मासूमियत के साथ
फूलों के पाल खोलता
वसन्त आया आखिरकार नावों पर चढ़कर

घबराकर मैंने सहसा
हर्ष को कस लिया अपनी मुट्ठी के भीतर
नदी में फेंक दिये पाप और प्रायश्चित्त
मुक्ति की कामना के सारे वे पुराने स्वप्न
और मैं धोने लगा फिर वही पुराना घाव
जिसके कारण मैं अब तक ज़िन्दा रहा
वर्ष के बाद वर्ष

आकाश के गलीचे पर
चन्द्रमा का फूल खिला

बारह

निहत्था समझकर हम दोनों ने
स्वेटर की तरह एक दूसरे को ही अपने में बुना था
दोनों का रक्त जल उठा था सहसा
एक मशाल से जैसे जलती दूसरी मशाल

मैंने गूँथा था तुम्हारे लिए बाँहों का ताज़ा हार
मौत नहीं रुकती किसी के लिए
तो फिर ज़िन्दगी की कौन इन्तज़ार करे

कितनी जल्दी मिटते हैं
एक मुर्दे के निशान :
बिना एक-दूसरे को धोखा दिये
हम कभी नहीं कर सकते थे
उस ख़ुशी का शिकार

तेरह

तुम्हें अच्छी नहीं लगेगी मेरी कविता–
मेरे दोस्त,
यह मैं पहले से जानता था

वसन्त और पतझर की कमीज़ बदलते वन
किसी उदास झील के तट पर ख़ुदक़ुशी करता वक़्त
आकाश की गन्दी चादर से तन ढाँकती
नदी की नंगी लड़की–
वे लोग, वे इमारतें, वे क्षितिज,
वे गाँव, वे बस्तियाँ, वे क़स्बे और चन्द्रमा
और इन सबके बीच
लोककथाओं के अन्त जैसा उत्सुक
मेरा वह पहला यौवन
जैसे कोई जलता हुआ क़ीमती कालीन;
मैं जानता हूँ, मेरे अज़ीज–
तुम्हें यह कुछ भी अच्छा नहीं लगा

तुमने तो सिर्फ़ मेरी किताब पढ़ी
तुमने देखा मुझे सिर्फ़ हँसते, ठट्ठा करते,
स्टीयरिंग व्हील को पकड़कर टाई सँवारते हुए;
मगर मैंने तुम्हें धोखा दिया
वह मैं नहीं था;
वह मेरी ही शक्ल का–
एक दूसरा आदमी था
जो मेरी बीवी के पास सोता था
जो इतनी ज़ोर से ठहाके लगाता था–
कि कोई ख़ुश आदमी वैसा कर ही नहीं सकता

अगर कभी तुमने मुझे पहचानने की कोशिश की
मैंने टेलीफ़ोन उठा लिया
और जला लिया एक क़ीमती सिगार;
तुमने मेरे दोस्त, मुझे देखा ही नहीं,
तुम हमेशा जल्दी में थे

मैं तो वह था
जो मरता रहा रोज़-रोज़,
और जिसको मैं ख़ुद ही दफ़न करता रहा—
बिना मोमबत्ती का सहारा लिये;
मेरे हाथ मैले थे और जेब फटी;
मैं वही था
जो पलाश और सेमल के धधकते खेतों में
हो गया था अन्धा;
मैं वह था
जो रोज़ रोज़ डूबता था
समन्दर में सूरज के साथ
और रोज़-रोज़ रोता था
मेघ पहने सन्ध्या के कन्धों पर :
ये ग़रीब, अपाहिज़, फ़कीर और क़ैदी
ये सब मेरी ही शक्लें थीं
सिर्फ़ मेरी ही
तुम कैसे देख सकते थे मेरी लाश?
तुम तो पैदल थे
और मैं था घोड़े पर;
जादू का घोड़ा—
जहाँ-जहाँ उस घोड़े की टाप पड़ी
वहीं-वहीं खिलते गये फूल :
मैं मुर्दा था
पर तुम्हें पीछे छोड़कर आगे निकल गया

तुम्हें अच्छी नहीं लगेगी मेरी कविता
ऐ मेरे दोस्त,
यह बात तो मैं बहुत पहले से जानता था

सलीब से नाव तक
(1983)

एक

सुबह की चाय, सिगरेट और बाथरूम
नया कॉलर, इस्त्रीदार सूट और चमचमाती टाई
नाश्ता, बैग और कार में से हिलता विदा माँगता हाथ
बच्चे चले गये स्कूल मुझ से पहले

फ़ाइलों के ढेर और टेलीग्राम
मुलाक़ाती, स्टेनोग्राफ़र और डाक
मीटिंग, दौरे और टेलीफ़ोन की घण्टी
तत्काल की झंडी लगे दफ़्तर के काग़ज़
दुपहर को भागते भागते लंच
शानदार पत्थरों की आलीशान इमारत
बरामदों में बीड़ी फूँकते चपरासी

एक झूठी दूरी इंसान और इंसान के बीच
जो हाथ मिलाने से और ज़्यादा बढ़ जाती
हँसी पर कफ़न डालता सलीका

थकावट की चादर में सिमटी आ गयी शाम
दुबली, चुपचाप और शर्मीली लड़की
गाड़ियाँ होने लगीं स्टार्ट
खाली टिफ़िन कैरियर और साइकिलों की क़तार
रोज़ दिन इसी तरह फेंका जाता है
बरामदे में अख़बार की तरह
जो सिर्फ़ अपनी ही बात कहता है
मेरी कोई बात कभी नहीं सुनता

दो

पीले फूलों का गुच्छा पकड़े धूप की लड़कियाँ
माथे पर लाल टिकली लगाये ऋतु की रूपवती युवती
हथकड़ियाँ पकड़े रात का कोतवाल
कन्धे पर कुल्हाड़ी सँभाले वक़्त का जल्लाद
लोकगीत गुनगुनाता वनपाँखियों का आकाश
किसी मशाल-सा जलता सूर्यास्त के बाद का समुद्र
आँधियों का चोगा पहिने हवाओं का जादूगर
बूँदों की साड़ी पहिने वर्षा

आज ये सब मुझे खोज रहे हैं
सिर्फ़ मुझे

तीन

सात समुद्रों पार बसेगा एक देश
जिसमें न होगा युद्ध और न कोई अपराध
न कोई मरेगा भूख से और न कोई दंगे से
वहाँ न कोई अदालत होगी और न कोई जेल
न कोई मज़हब होगा, न रुपया और न कोई हुकूमत
उस देश का कोई इतिहास नहीं होगा

वहाँ चीड़ से लदी पहाड़ियाँ होंगी नीली
घास के मैदानों पर सूखेगी धूप की मखमल
फूलों के वन उगेंगे क्षितिजों तक
पीली नावों पर चढ़ेंगे प्रणय के पाल
वहाँ वसन्त ठहरेगा पूरे वर्ष
पूर्णिमा का चन्द्रमा वहाँ रोज़ निकलेगा

तुम कुछ भी पाप करो
मगर सपने बुनने का हक़ मुझ से मत छीनो
अगर मैं ऐसा नहीं करता
तो मैं कभी का मर चुका होता

चार

कला, पुरातत्त्व, नारेबाज़ी, संसद, ईश्वर और संगीत
साहित्य, प्रेम और मौसम—
पता नहीं हम लोग क्या क्या बातें करते रहे उस दिन
जब कि मसला सिर्फ़ दो शरीरों की भूख का था :
शरीर के लिए उस दिन मैं कविता तक छोड़ सकता था
कविता तक

जब मैं उससे मिला था
वह फूलों के खिलने का वक़्त था
उसको देखकर मुझे उस अनन्त ख़ुशी का आभास होता था
जो बिखरी पड़ी थी जाने कहाँ कहाँ

काश मैं बिना कुछ सोचे-समझे
अपने को उसे दे सकता;
सोचना मेरे लिए मात्र स्वार्थ का दूसरा नाम रहा
मैं ज़िन्दगी के प्रत्येक पल की क़ीमत चाहता था
और बदले में पूरी ज़िन्दगी खो दी

कला, पुरातत्त्व, नारेबाज़ी, संसद, ईश्वर और संगीत
पता नहीं क्या-क्या बातें करते रहे हम दोनों उस दिन
जबकि मसला सिर्फ़ दो शरीरों का था
और अगर हम लोग बीच में न पड़ते
तो शरीर वह मसला ख़ुद सुलझा सकते थे
बिना हमारी मदद के

पाँच

प्रेम और उदासी की ऋतु ने फिर फैला दीं बाँहें—
आगे कर दिये ओठ
वसन्त फिर आ गया...

वासना के सच्चे क्षण
कितना तेज़ भागता है वक़्त
हर्ष और शोक—दोनों को पीछे छोड़;
पूरी तरह मेरी होकर भी
पीले फूलों की यह लड़की
मेरी कभी नहीं हुई

जब भी जायेगा वनों से वसन्त
अपने गीत मुझसे वापिस माँगेगा

छः

ऋतुओं के भार से झुकती गयी गर्दन :
वर्ष इतने निकल गये एकदम सच्चे
दोस्त कोई सच नहीं निकला

किसने लाद दिया ज़िन्दगी का लबादा मुझ पर?
हटाओ इसे जल्दी से–
मैं इसे फाड़ना चाहता,
आशाओं के ये पुराने पैबन्द लगे पाल
बिना बात भारी करते
मेरी हड्डियों की डोंगी को;
नदी का पानी और पतवार सब के सब हो गये लंगर
बोझ के ऊपर बोझ;
मैं जो कभी बादशाह था
हो गया सहसा वृद्ध, ग़रीब, अपाहिज़ और अन्धा

सात

रास्ता भूले किसी राजकुमार की तरह
रात भर वनों में मैं दौड़ाता रहा घोड़ा
किसी को अपनी इन उत्सुक बाँहों में भरने के लिए;
मगर मुझे वहाँ कोई नहीं मिला
कोई भी नहीं :
वह रात ठीक उतनी ही लम्बी निकली
जितनी मैंने उसकी प्रतीक्षा की थी

सन्नाटा खनखनाता रहा सिक्कों की आवाज़
अँधेरे में फूल और पत्ती हो गये एक
मुर्दों के बीच कोई फ़र्क़ कभी नहीं रहा :
और मेरे घोड़ों की टापों के डर से
चाँद में डूब गयी पूरी झील

किसी की याद की लगाम को लगातार पकड़े
उन बीहड़ जंगलों में से
कल रात मैं फिर गुज़रा

आठ

दिन के पीले चितकबरे घोड़े को फेंकते हुए लगातार
हम पहुँच गये रात की सराय
और अगले दिन फिर निकल पड़े अपनी यात्रा पर
हँसते-हँसते और ख़ुशी-ख़ुशी :
हमने लाँघे पर्वत और समुद्र
बाँहें खोल बुलाते चीड़ के गहरे वन
फूलों के रूमाल हिलाता
वही चिरपरिचित वसन्त

यात्रा के अन्त में सहसा
हम पहुँच गये मृत्यु के तट तक
हम सभी कवि, ग़रीब, पापी, दार्शनिक और युवा राजकुमार
सहम गये बुरी तरह एक साथ
और हिम्मत बँधाने लगे रूपवती युवतियों को
जो हमसे भी ज़्यादा बदहवास थीं;
हम एक-दूसरे को देखने लगे प्रश्न भरी निगाहों से
ज़िन्दगी का आख़िरी सच
क्या सचमुच यह क़ब्रिस्तान?
क्या यहीं पहुँचने के लिए घोड़े फेंके थे हमने
भूखे-प्यासे और लगातार?
क्या यही है समस्त यात्राओं का अन्तिम अन्त?
हमें पता लग गया चुपचाप
कि अब हम कुछ नहीं कर सकते थे;
हमने डाल दिये अपने हथियार
हमारे हाथों से फिसल गयी घोड़ों की रास
फिसल गये रेशम के बिस्तर और शराबों के बर्तन

हम सब मर गये—एक के बाद एक—
कुछ मर गये एकदम सहसा
और कुछ मरते गये किश्तों में
(जब-जब उनका कोई अज़ीज़ मरा
उनका भी थोड़ा-सा हिस्सा उसके साथ मरता गया)
ज़िन्दों को देखकर ज़िन्दा रहना लगा करता था मुश्किल
पर मुर्दों को देखकर मरना हो गया आसान;
ज़िन्दगी को टाँगने के लिए चाहिए खूँटी
पर मौत के लिए तो कुछ भी नहीं दरकार
वह ज़िन्दगी की तरह अधूरी नहीं होती

मरने से पूर्व मैंने चारों तरफ़ देखा
क़ब्रिस्तान से थोड़ा ही दूर खड़े थे
वनों का ओवरकोट पहिने नीले पर्वत
और द्वादशी की चन्द्रमा
ठीक वहीं निकला था—
जहाँ कि मुझे दफ़न होना था

नौ

भट्ठी की भाँति गर्म उसके ओठ सिर्फ़ इस कारण खुलते थे
कि उनमें से निकल सके मुसकुराहट की मशाल;
उसकी हँसी काँपती थी आँसू जैसी :
उसके खड़े होने पर लगता था सहसा
जैसे किसी ने फिर खोल दिये नाव के पीले पाल;
बाँसों की झाड़ियों में ताज़ी धूप उलझी थी
उसका रूप वसन्त-सा स्वाभाविक था

उसने मुझे इस तरह अपनाया था
जैसे कोई झील—
अकेले चाँद को अपनाती होगी वनों की कहीं दूर
जहाँ आज कठपुतलियों की तरह लटके होंगे काले मेघ :
पके अनाज जैसा उसका रंग याद आने पर
बिछ जाते हैं अभी भी मेरे सामने पके धानों के खेत

उस दिन चिड़ियों की सारी चंचलता छोड़
वह बैठ गयी थी सहसा मेरे पास
उसकी वह आखिरी हँसी
मेरे कानों की मेहराबों से अभी तक नहीं निकली;
हम दोनों कुछ नहीं बोले थे
हमारे पास कहने को कुछ था ही नहीं शायद
या फिर हम कोई ऐसी बात कहना चाहते थे
जिसके कहने के बाद
हम एक-दूसरे को कभी भी माफ़ नहीं कर सकते थे

दस

उस होटल में हम घुसे थे उस शाम
ताकि हम अपने को ज़रा बड़ा महसूस कर सकें
मगर उसके भीतर घुसते ही
हम हो गये और भी छोटे

हम सब देखते रहे एक-दूसरे को नयी तरह
क़ीमती कपड़ों में क़ैद वही पुराने चेहरे;
हम बदला लेना चाहते थे बुरी तरह
मगर यह पता नहीं था
कि बदला किससे लेना था;
और इसी विवशता पर हम हँसते रहे
ठीक उस इंसान की भाँति
जो कभी भूत को लेकर रोता था तो कभी भविष्य को लेकर
हालाँकि असलियत यह थी
कि फ़िलहाल वह सिर्फ़ विदूषक था

और इसके बाद एक लड़की आयी
और नाचने लगी पलाशों का नाच
मैंने सहसा महसूस किया
औरत ईश्वर का आख़िरी हथियार

थोड़ी देर बाद हम फिर हो गये उदास
पहले से भी ज़्यादा अकेले
मगर बाहर जाने की हममें हिम्मत नहीं थी
वहाँ वही सड़कें थीं, वही फ़ुटपाथ, वही चन्द्रमा :
अपनी आख़िरी सिगरेट सुलगाकर

हम फिर से बैठ गये सोफ़ों पर
और उन शर्तों के बारे में सोचने लगे
जिनको लेकर हमें डालने थे
ख़ुद अपने आगे अपने हथियार

ग्यारह

पके खेत की तरह उजला दिन फिर निकला;
स्वयंवर में जाने को सजता कोई राजकुमार,
सुवर्ण सी पिघल गयी दिशा के बाद दिशा

उदास मन को कहीं ज़्यादा ज़ोर से खींचता
ऋतु का ऐश्वर्य,
क्षितिज के आगे सजे और क्षितिज
जो ख़ुशी के अँधेरे में कभी नहीं दिखाई पड़े

वसन्त कभी लगता है पलाश तो कभी कफ़न
साँझ लगती है तुम जैसी लड़की
रात लगती है अकेले में कहीं डूबती कोई नाव,
मेरे गले से निकलता है कभी गर्म रक्त
और कभी एकदम ताज़ा गीत

पीले दिन के पके खेत को रौंदते हुए
उदासी के घुड़सवार
मुझे गिरफ़्तार करने फिर निकल पड़े

बारह

बेहतरीन मखमल जैसे केश,
हाथीदाँत का जिस्म
जिसे शायद किसी कलाकार ने छेनी से तराशा था,
शराब के प्यालों जैसे ओठ
वसन्त की भाँति जलते गहगहाते सारे अंग
कालिदास की कविता जैसे आकर्षक वक्ष :
ठीक एकदम घायल कर देने वाला रूप
भयंकर वर्षा के बाद की तीखी ताज़ी धूप

इतना सौन्दर्य किसी एक युवती के पास
मैंने पहले कभी नहीं देखा था :
अपने ही रूप की आँच में
मशाल-सी जलती वह देह

तेरह

पुराने आँगन के मेघ, वर्षा, धूप और चन्द्रमा
साथ के संगी साथी
भाई-बहिन, माता-पिता
नदी का नीला तट
बाँसों का वन और केलों के गाछ
क्षितिज की दिशा में खुलती खेतों की खिड़की

जिह्वा निकालती अग्नि की परिक्रमा
पण्डित के पढ़े गये बूढ़े मन्त्र
साड़ी में से बाहर झाँकता यौवन
तलवार निकाले जल्लाद

एक अनजान घर में उसकी डोली चली गयी
अब वह बस अरथी बनकर ही निकलेगी

चौदह

ये इस्त्रीदार सूट, ये रंगीन टाइयाँ, यह शानदार दफ़्तर
सलाम झुकाते चपरासी, घबराते बाबू लोग
शोफ़र के साथ चमचमाती ब्रांड न्यू कार
प्रतीक्षा करते फ़ाइलों के ढेर और स्टेनोग्राफ़र
कानून की किताबों के नीचे दबे लम्बे ऑफ़िस नोट
डायरी, दौरे, मुलाक़ातें और डिनर
सब कुछ मिलकर एक ऐसा तिलस्म
कि बाहर निकलने का रास्ता ही नहीं मिलता

जहाँ भी भागने की कोशिश करता हूँ
वहीं मिलता है बूट ठोकता पहाड़ी चौकीदार
जिसे कभी मैंने खुद ही भरती किया था :
मेरा सारा भविष्य दफ़न हो गया
मेरे वर्तमान के भीतर

वसन्त, खुले खेत, लोकगीत और लजाती युवतियाँ
वे पहाड़ियाँ, वे समुद्रतट
वे चन्द्रमा, नदी, नाव और पाल
इन सबसे हो गया मैं निर्वासित
हमेशा-हमेशा के लिए
खिड़कियाँ लगी हैं पर लोहे के सलाखों की
देख सकता हूँ बाहर : जा नहीं सकता
अभी सात वर्ष काटनी है यह क़ैद
उसके बाद बनाऊँगा पर्वतों की घाटी में अपनी कॉटेज
लॉन, हैज, फूलदार पौधे, और पहाड़ी पेड़
शानदार नेम प्लेट, उम्दा पर्दे और कालीन

बच्चों की शादी और तीर्थयात्रा
पेण्टिंग और झाड़-फ़ानूस
कीर्तन और बैंकों में जमा रकम
यानी कि इस जेल के बाद एक अगली जेल

मैंने इतनी खुशियाँ माँगी थीं एक साथ
कि उदास होने तक का हक मुझसे छीन लिया गया
और किसी को हमदर्दी नहीं थी मेरी हालत से
वे सब के सब बन्द थे अपनी-अपनी जेलों के अन्दर

पन्द्रह

बादलों को अपने कन्धों पर लटकाकर
हम ख़ुशी-ख़ुशी चलते गये उस शहर के सीने पर :
उस दिन ठण्ड इतनी ज़्यादा थी
अपना साँस हम आसानी से पकड़ सकते थे :

दोपहर बाद निकली इतनी युवा धूप
जीने को फिर से तबीयत होने लगी

सोलह

पागल कुत्ते की तरह पीछा करता दिन
धूप की फटी साड़ी पहिने भिखमंगी सड़कें
चेहरे की झुर्रियों की तरह सिकुड़ते मकान के बाद मकान
और उनकी दिशा में बेतहाशा भागते
ताँगे, साईस और घोड़े
हड्डियों के ढाँचों को खींचता
हड्डियों का दूसरा ढाँचा

सतरह

कल रात फिर हो गये शहर में दंगे
सड़कों ने पहिन लिया लाशों का क़ीमती हार
रातोंरात सब कुछ बदल गया सहसा

फ़रिश्तों को क़त्ल कर लेने के बाद
कोई कहीं दूर हँसा
एक फौलाद की हँसी
इतनी तीखी और तलवार की तरह
कि मैंने खिड़कियाँ बन्द कर लीं कमरे की
और मोमबत्ती की तरह जलने लगा
अकेला और चुपचाप

अठारह

ठीक आधी रात के वक़्त
बाहर कोई घुड़सवार आया
और छोड़ गया एक अजीब-सी मशाल

उस रोशनी में उनके चेहरे और सिकुड़ गये
प्यार के काँच के गिलास छूट गये हाथों से
फ़र्श पर बहने लगी ज़िन्दगी की शराब
हवाओं के ज़ख़्म हो गये फिर से हरे

कौन था वह पागल घुड़सवार
जो इस तरह आया और चला गया
अपने घोड़े की टाप यहीं छोड़
सड़क के बिछे हुए दरवाज़े पर आख़िरी दस्तक

उन्नीस

पिघले काँसे की भाँति आकाश ऊपर लटक गया,
मेरी आँखों में जम गये विषाद के समुद्र
दिशाओं के जाम शराब से हो गये खाली
चीड़ के वन लगने लगे इस्पात की दीवार
वसन्त हो गया आवारा लड़का
चाँद ने उतार लिये मेरे उल्लास और उमंगों के वस्त्र;
सुबह, दुपहर और साँझ—
इनमें कोई अन्तर ही नहीं रहा,
पर्वत और फूल हो गये एकदम मुर्दा

इस सब के बावजूद भी मैं जीना चाहता हूँ
क्या कोई बता सकता है, क्यों?

बीस

पहले मैं अपनी इन आँखों की खिड़कियों में
समेटा करता था नीले बेतरतीब पहाड़
चीड़ की घुमावदार घाटियाँ और गहराते वन
वर्षा के युवा मेघ और वसन्त की अल्हड़ दुपहर
बिखरी धूप, साँझ की सूनी डगर और पूर्णिमा का चाँद

अब वे ही आँखें हैं
जो एक आँसू तक नहीं सँभाल सकतीं

इक्कीस

मेरा ज़िस्म है एक जेल
जिसमें मैं क़ैद पड़ा हूँ
आजीवन कारावास

न कोई सिफ़ारिश, न कोई अपील;
एक बेगुनाह इंसान
उम्र भर के लिए सज़ायाफ़्ता

काश मैं निकल सकता
अपनी लाश के बाहर

बाईस

दिन बीतते गये, बीतते गये
हाथों से उड़ते गये धूप के कबूतर
पता नहीं कौन दिशा...

पगड़ी सँवारे बैरे और चमचमाता हुआ झाड़फ़ानूस
शानदार होटल का क़ीमती फ़र्नीचर
कॉफ़ी के कप का ख़ुशबूदार धुआँ
ऊँचे मूढ़ों पर शराब पीते नवयुवक
बिलियर्ड की वह क़ीमती टेबुल
हँसी-ठट्ठों के बीच सुलगता वह सिगार
फ़र्श पर नाचते अधनंगे जोड़े

जितना तुम्हें भूलना चाहता
उतना ही होता जाता मैं अपने से और बेनक़ाब
वर्षा के बाद के धुले नीले पर्वत

तेईस

पेड़ों पर जल उठे फूलों के चिराग़
हवा हो गयी शोख़ और आवारा
धूप का पीला दुपट्टा उड़ाती
रूपवती युवती

इस बार जो आया है वसन्त
उसे मैं अपनी बाँहों में जकड़ूँगा

चौबीस

ज़िन्दगी भर मैं ज़िन्दगी के लिए ही लड़ता रहा
मगर मेरे हाथ कुछ नहीं आया
सच, कुछ भी नहीं

अब तो मौत ही ज़िन्दगी को पूरा करेगी
दोस्त कुछ नहीं कर सकते

मैं चाहता हूँ कि मैं वसन्त में मरूँ
ताजी धूप के कफ़न में लिपटा हुआ
मैं जलूँ जवान मौसम की अग्नि में
और मेरे मरने के बाद खिलें
मेरी क़ब्र पर लाल-लाल फूल
गुच्छे के गुच्छे

पचीस

मैंने अपना वायदा पूरा किया
मैं फिर आ गया तुम्हारे ही पास;
मेरी यात्राएँ व्यर्थ रहीं सब की सब
मेरे युद्ध सब निकले निष्फल
मुझे कोई दोस्त कहीं नहीं मिला...

मैंने उनको अपने दर्द सुनाये—एक के बाद एक—
और उन्होंने उसे क़िस्सा समझा
और सुनकर तालियाँ बजाईं,
मैं हँसता रहा इस कारण सारी रात
कि मेरे आँसू मेरे भीतर ही कहीं सूखते जायें
पर वे समझते रहे
कि मैं वाक़ई बड़ा हँसमुख था,
मेरे गले से निकला जब ताज़ा-ताज़ा रक्त
उन्होंने उसे गीत कहकर पुकारा
और मेरी पीली सूखी देह को देख
उन्हें याद आते गये वसन्त के पके खेत

मुझे पता है तुम जल्दी में हो आज
गुलमुहर क्या नहीं देखोगी सचमुच?
ख़ैर, यहाँ तो ज़रा धीमी चाल से चलो
दायें हाथ आ गया क़ब्रिस्तान,
उस जगह को देख लें जी भर
जहाँ हम दोनों को आना है किसी दिन
और वह भी अलग-अलग

छब्बीस

परदों के पीछे पिघलते रहे आलिंगन;
हड्डियों के गिलासों में भरती गयी
मेरी देह के रक्त की शराब;
मुर्दा सपनों को फेंकने जब मैं बाहर आया
बालकनी पर टकरा गया वर्षा के बाद का चाँद

हम दोनों उम्रभर रिहर्सल ही करते रहे
असली नाटक हमने कभी नहीं खेला

सत्ताईस

मेरा हाथ पकड़ने से क्या फ़ायदा
मैं अपना रास्ता खुद नहीं देख सकता
और हाँ
मैं उस सीमा से भी बाहर निकल आया
जिसके भीतर तुम मेरी मदद कर सकते थे

वर्षा का कफ़न बाँध
मैंने खुद को गहरी घाटी में फेंक दिया
उठाने चलोगे मेरी बदबूदार लाश?

अट्ठाईस

सुनसान रात्रि में कहीं कोई पत्ता खड़का
पता नहीं पत्ता ही था या कि तेरे ओठ,
बाहर एकदम सोना पिघल गया
पता नहीं धूप थी या कि तुम्हारी देह,
मेघों के पंख पहिन वर्षा की रानी आयी
पता नहीं पानी था या कि तुम्हारे आँसू

मैं अचानक घबरा उठा था उस दिन
मैं खुद ही था या कि मेरे भीतर छिपा कोई और?

उनतीस

मैंने बनाना चाहा था एक क़ीमती कालीन
वह बन गया कफ़न,
मैं चाहता था पच्चीकारी वाला पलँग
वह बन गया क्रॉस,
मैं चाहता था कि वह पाल बने
वह बन गया लंगर...

मेरी ज़िन्दगी भी कुछ अजीब तरह गुज़री

तीस

आँखों पर बँधी थी पीली धूप
और ओठों पर रखी थी तेरी लाल मुसकान
पेट से बँधी थी रोटी
और कन्धों पर बँधी थी अपनी लाश
दिल में बँधा था ढेर सारा दर्द
और पैरों में बँधा था कहीं दूर का सफ़र

यही वह सरो सामान था मेरे पास
जिसके बूते पर मैंने वह कारवाँ छोड़ा

इकतीस

मुझे अभी भी याद वह दिन
जिस दिन चिनार हुए थे लाल पहिली बार
इन्द्रधनुष पैदल उतरे थे धरती पर
वसन्त निकला था हमारी जेबों में से
और उस पीली ऋतु के बीच
वक़्त कुछ इस तरह गुज़रा था
कि हम चाहते तो उसे पकड़ सकते थे

कहाँ गये वे मेरे बीते हुए वर्ष?
फूलों की म्यान में तलवार खोंस
कहाँ चला गया वक़्त का वह कायर राजकुमार?

बत्तीस

चुपचाप किया गया अनन्त प्रेमालाप
अधरों पर टेप-सी चिपकी मखमली हँसी
शराबी-से लुढ़कते जीवन के पचास वर्ष
दिशाहीन, लक्ष्यभ्रष्ट बाण

मेरा अभिनय तो ठीक रहा
पर वह नाटक ही लचर निकला
क्योंकि उसे किसी और ने लिखा था :
वन के ऊपर किसी ने यूँ ही फेंक दिया
एक हँसिए जैसा घायल चन्द्रमा

तैंतीस

दफ़्तर की शानदार इमारत
मेज़, कुर्सी और सोफ़े से सजा कमरा
टेलीफ़ोन, फ़ाइलें और चपरासी
सलाम ठोकते बड़े-बड़े आला अफ़सर
बीवी-बच्चे, टेलीविज़न और कार
—सच कुछ भी तो अच्छा नहीं लगता

चीज़ों को पा लेने के बाद
उनके खोने की इच्छा कहीं ज़्यादा तीव्र
जैसे ही मिल जाती परियों की राजकुमारी
कहानी हो जाती ख़त्म

पतझर कब आयेगा, पता नहीं,
मेरे पत्ते तो झरने हो गये प्रारम्भ

चौंतीस

जल चुका रावण
छूट चुके पटाख़े
बच्चे अब बजाते हैं तालियाँ :
पाप पर पुण्य की जीत

मेरी उदासी का राक्षस
अभी भी उतना ही ज़िन्दा
क्या कोई भी सूरमा शेष नहीं रहा ऐसा
जो मार सके मेरी उदासी में वाण?

पैंतीस

तुम्हारी देह में मैं देखता था वसन्त के पलाश
भाद्रपद की वर्षा और कार्तिक का चाँद
चैत्र की पकी फ़सलें और सोने की धूप
तुम्हारी देह को देखकर ही
सबसे पहले जागा था मेरा यह शरीर

तुम्हारे जाने के बाद दिन हो गया एक खोटा सिक्का
जिसको मुझसे किसी ने नहीं लिया

छत्तीस

तुमने मुझे दफ़न कर दिया था कहीं
पलकों की झील में डूबे थे आँखों के कमल
उसके बाद तुमने गाये थे
किसी बीते हुए युद्ध के गीत
और उसके बाद तुम लौट पड़े थे जंगलों की ओर,
अँधेरे के लिफ़ाफ़े पर
लगती गयी थी तुम्हारे घोड़े की टापों की मुहर

मगर मैं ज़िन्दा था
तुम्हारे जाते ही मैंने—
मोज़े पहने, जूते कसे और लबादा डाला,
हवा की परछाइयाँ बटोरता सूरज
समुद्रों में डूबकर पर्वतों पर फिर निकला :
मेरी शक्ल इतनी बदल गयी थी तब तक
कि मेरी आत्मा बदल गयी अपने आप

उसके बाद जो भी युवा नक्षत्र टूटा
उसे मैंने ही पकड़ा,
चटख़ते पलाशों की म्यान में छिपी तलवार
मेरे ही सीने में फिर उतरी

सैंतीस

ऋतुएँ आयीं और चली गयीं
पेड़ों ने बदल लिये पत्तों के लिबास
कुछ हो गये शहज़ादे, कुछ हो गये फ़कीर

लावारिस वर्षों की बैसाखियाँ पकड़े
मैं ढूँढ़ता ही रहा भीड़ में अपना चेहरा
सुन्दर और उदास

अड़तीस

समुद्र को दरवाज़ों से बन्द करने के बाद
हम सब वहाँ बैठ गये मेज़ों पर
उदासी का झाड़फ़ानूस उसी तरह लटकता रहा
और वर्दी पहने घूमते रहे पुराने भय;
आने वाले कल को पाने के लिए
आज का क़त्ल फिर उसी तरह किया गया

धीरे-धीरे हम सब भूल गये अपने को
शराब की झील में टखनों तक उतरने के बाद;
लड़कियाँ हँसने लगीं लापरवाह
किसी ख़ुशनुमा मौसम की तरह;
और नशे के जादू ने
मेरे दोस्तों को शहज़ादों में बदल दिया

मैं बैठा रहा कॉफ़ी के कप पर
डूबा हुआ ख़यालों में
काश, मेरे ये साथी आज ख़ुदक़ुशी कर सकते
क्योंकि इतने ख़ुश ये अब कभी नहीं होंगे

इनके मरने पर मैं खिलखिलाकर हँसूँगा
क्योंकि मैं कभी ख़ुश नहीं हो पाया अरसे से
तलवार से तोड़ूँगा ये पेण्टिंग और झाड़फ़ानूस
और खोल दूँगा दरवाज़े
ताकि मैं रोने के लिए जा सकूँ समुद्रों तक
जहाँ तट पर खड़ा होगा
पीली पगड़ी बाँधे ऋतु का राजकुमार

उनतालीस

सोने के तारों से बुनी वह युवा ऋतु
मशाल-सा जलता चैत्र का वह दिन
और उसकी बाँहों में जकड़ा
मोम के कालीन जैसा फैला वह उत्ताल समुद्र
हँसी की नक़ाब पहने कोई जादूगर

मौसम की बाँह उन लोगों ने भी पकड़ी थी
जो उम्र भर जूझते रहे थे लहरों के साथ
तट को इस तरह पकड़े हुए नावों से
शराब ख़त्म होने पर भी जैसे तुम पकड़ते रहे प्याले को :
गर्दन पर गिरती हुई वक़्त की चमकदार कुल्हाड़ी
और उसी के भयानक प्रकाश के नीचे
तट पर जाल की मरम्मत करते वे अनन्त दुःख
मछलियाँ और शंख बेचती हुई ग़रीबी;
चाँद की लाश में
अपनी अन्तिम निराशा खोजते वे चंचल पाप

हर चीज़ पर लगी थी उदासी के लाख की मुहर
वनपाँखी-सी उड़ चुकी थी उनकी आशा
वे शायद नहीं जानते थे
कि आँसुओं से कभी नहीं बुझती दुःखों की मशाल,
उसके लिए रक्त चाहिए—युवा रक्त
जो कभी नहीं सूखता

उसके बाद मैं फिर देखने लगा समुद्र
चाँद का बहता हुआ शानदार शव,
भाले की नोक जैसा सीने में चुभता वह नीला रूप

चालीस

आकाश के मछुए ने फेंका वर्षा का जाल
और मैं फँस गया उसमें मछली की तरह
निकलने का कोई रास्ता कहीं नहीं...

सड़कों के घाव भर गये पानी से
वृक्षों के सहसा उग आये पंख
समुद्र, पर्वत और शहर सब पीछे छूट गये :
वनों में रह गये सिर्फ़ हम दोनों
तड़फड़ाता मैं और खिलखिलाती वर्षा

इकतालीस

क्षितिज के सहारे खड़ा रहा
आकाश का कोरा कैनवास
साँझ तक कोई चित्रकार नहीं आया
जो खिला सकता उस पर बादलों के फूल

दूर, उधर बहुत दूर
पश्चिम के वनों में
डूबने लगा सूरज;
नदी में जल उठी
ताज़े ख़ून की मशाल

बयालीस

बियाबान में खड़ा वह बूढ़ा वृक्ष
न कोई पत्ती, न कोई फूल

सिर्फ़ एक चिड़िया बैठी थी फुनगी पर
वह भी उड़ गयी पंख खोल :
मैं हो गया और भी एकाकी

तैंतालीस

कारे कजरारे मेघों के नीचे
बिजली के तारों पर
दो कबूतर बैठे बिल्कुल चुपचाप
न कोई आशा, न कोई भय

उन्होंने तोड़ दिये भविष्य के राक्षस के वे दो दाँत
जिन्हें मैं कभी नहीं तोड़ सका

चौवालीस

लगातार वर्षा का पाँचवाँ दिन
मेघों के लिफ़ाफ़े में सीलबन्द आकाश
बाढ़ में दफ़न हो गये नक्षत्र
उजड़ने लगा सहसा पलाशों का शहर

समुद्र हो गया यकायक ऊँचा
सड़कें समेटकर किसी ने जेब में रख लीं
मोमबत्ती जैसी बुझ गयी धूप
और धूप और सड़कों के ख़त्म होने पर
लोग सिमट गये कमरों के ही भीतर
कोई भी तो बाहर नहीं निकला

कॉफ़ी का कप हाथ में लिये मैं सोचता रहा
क़ब्रिस्तान के उन मुर्दों के बारे में
जो शायद इस वक़्त ठिठुर रहे होंगे

पैंतालीस

अन्धकार के ओवरकोट में छिपे ख़ूबसूरत वन
बूँदों की बर्छी से आकाश का सीना फाड़ती वर्षा
तट की बाँहों का सहारा माँगतीं चंचल नदियाँ
मौसम की काली आग में पिघलता पर्वतों का महल

टाप लगाते बादलों के घुड़सवार
दिशाओं की गश्त पर निकल पड़े सहसा :
दूर कहीं बिजली गिरी
किसी ने तोड़ दिया क्षितिज का धनुष

फट गया आकाश का पुराना थैला
हवा, हवा और हवा...

छियालीस

दीवारों का काँच तोड़ता हुआ
वह बदहवास तूफ़ान चला गया कहीं बहुत दूर
पहाड़ी रास्तों पर दौड़ता पागल घोड़ा

कल फिर नाचेगी घाटी में
धूप की शहज़ादी
फूलों की साड़ी पहिन

इतनी ख़ुशी बिखरेगी पहाड़ों पर
पेड़ उसे समेट नहीं सकेंगे

सैंतालीस

धरती पर फ़ैल गया हरा कालीन मखमल का
आकाश की हथेली में छिप गया कहीं पीला चाँद
नदी आ गयी तट के वस्त्रों के बाहर
पेड़ों ने पहिन लिये धुले हुए कपड़े
दिशा को चूमने लगे मेघ के बाद मेघ
फ़सलों से भर गयी धरती की सूनी गोद
कूकने लगे कोक उधर वनों में रति गीत

बच्चे बना रहे काग़ज़ की नावें
लड़कियाँ झूलती हैं झूले
बूढ़े याद करते जाते बचपन की वर्षा
युवक देख रहे युवतियों को मदविह्वल
चोलियाँ खुलने लगीं बिना बात
धुल गयी खपरैल, टेढ़े-मेढ़े मकान, बिजली के खम्भे और स्टेशन

अड़तालीस

जाल फेंकता समुद्र
अवगुंठन से बाहर निकला
पूर्णिमा का चाँद

पतझर और वसन्त
पीले पत्तों और लाल फूलों के चटखते क्षितिज
बाँहें फैलाती आवारा हवा

मैं जब नहीं रहूँगा यहाँ
ये सब फिर भी रहेंगे इसी तरह
दिशाएँ फिर भी पहनेंगी पीली साड़ी
मैं यह बर्दाश्त नहीं कर सकता
हर्गिज़ नहीं

मेघदूत लिख लेने के बाद
कालिदास ने कैसे देखे होंगे
अगली वर्षा के नये मेघ?

उनचास

नदी ने पहन ली धूप की हँसुली
सेमल पर जल उठे फूलों के चिराग़
किसी राग के आलाप-सा खुल गया आकाश
ऋतु ने उठा लिया वनों का सितार

वर्षों पहले देखा तुम्हारा लापरवाह चेहरा
उम्र की गहराइयों में से
नीली पहाड़ियों की तरह
अब फिर चमकेगा

पचास

आकाश ने उतार दिया
बादलों की थेगली वाला पुराना लिहाफ़;
धूप का सूट पहिन
फूलों की टाई लगा
सड़कों पर निकल पड़ा
ऋतु का राजकुमार

कुछ दिनों बाद
घायल हिरनी की भाँति
यह पीली ऋतु फिर भागेगी
फन जैसी उठी वन की उस पगडण्डी पर

तुम क्या जाल ही में फँसे रहोगे मछली की तरह?
तुम नहीं देखोगे
ख़ुशी के पाल खोले
सौन्दर्य से लकदक
बिना आवाज़ की यह नयी नाव?

इक्यावन

फूलों की पगड़ी बाँध
सज गये कनेर, सेमल, अमलतास और पलाश
स्वयंवर में जाते उत्सुक राजकुमार

रंगों से लदे वृक्षों की छाया में
पत्थर तोड़ते बूढ़े और जवान
छाती से बच्चे चिपकाए युवतियाँ :
वसन्त के ठीक नीचे बैठा
दुःखों का पापी पतझड़

काश, कोई ऐसी भी सीमा होती
जिसके बाद दुख दुख नहीं रहता...

बावन

फूलों की आँच से गर्म हो उठी हवा
पत्तियाँ हो गयीं पीली
वनों में घूमने लगी
कोई विरहिणी लड़की

वसन्त की छबीली ऋतु आने पर
हमेशा की तरह
सबसे पहले मैं बदला
फूल जो थे
वे उसके बाद खिले

तिरेपन

हवाओं ने खोल दिया रेशमी दुपट्टा
बिखर पड़े धूप के टुकड़े
चीड़ की महीन पत्तियाँ और पलाश के चटक फूल

वसन्त और पतझर –इन दोनों को मुट्ठियों में बाँध
पर्वतों से उतरती ऋतु की वही अल्हड़ युवती :
हीरों से जड़ा सोने का इतना शानदार दिन
बग़ैर आँखों में आँसू भरे
मैं कभी नहीं देख सका

चमचमाता मौसम
कसमसाती धूप
देह को तोड़ती अँगड़ाई :
ऐसी सोने की हवाओं में
उम्र के पाल चढ़ा
कहीं के लिए भी खोल दो अपनी नाव
कहीं के भी लिए...

चौवन

वसन्त के आते ही मैं फिर हो गया युवा
सोने की दमकती युवतियाँ
मेरे चारों ओर नाचने लगीं
और यकायक गाने लगीं
वे सारे पुराने लोकगीत
जिन्हें कभी मैं गाता था

वक़्त की भयानक ख़राद
लगातार काटती गयी ऋतुओं के हीरे को;
मैं जाना चाहता हूँ नाव या घोड़े पर
उस पुराने क़िले में कहीं दूर—
जहाँ क़ैद हैं पुराने सारे वसन्त
सारी पुरानी वर्षा और साँझें
शरद के रूपवान और सजीले चन्द्रमा

पचपन

शीत की ऋतु मर ही गयी आख़िरकार
फ़ुटपाथ पर सोयी नंगी लड़की

फ़र के कोट पहने वे संगमरमर की युवतियाँ,
ज़िन्दा आदमियों की खाल पहिने—
मेरी शक्ल के वे दरिन्दे,
कोठियों से बाहर निकल आये
और शराब पीकर नाचने लगे सड़कों पर

उनका ख़याल था
कि आज दिन बहुत लम्बा होगा
और कभी नहीं ख़त्म होगा इस बार का वसन्त
कभी नहीं बुझेंगे
इस वर्ष के पलाश

छप्पन

उसका ज़िक्र आते ही
वक़्त का घोड़ा भागने लगा पीछे को
लाँघ गया न जाने कितने वर्षों के पीले खेत;
मैं हो गया फिर वही
लापरवाह और युवा

शनील-सी मुलायम ऋतु
हाथों से फिसल गयी बिना बात;
किसी ने भी तो नहीं रोका मुझे
मोमबत्ती की जगह जब मैं जलाने लगा ख़ुद ही को
सच, किसी ने भी तो नहीं रोका मेरा हाथ

अब नींद आये या कि मौत
मुझ पर कोई फ़र्क़ नहीं पड़ता

सत्तावन

रात भर बहुत बर्फ़ पड़ी
कफ़न की तरह सफ़ेद हो गयी दिशा
इतने सितारे एक साथ शायद कभी नहीं मरे
इस रात के पहिले

हवाओं के घोड़ों पर चढ़ा धूप का जादूगर
निकल आया सहसा पर्दे के बाहर
चमकने लगी बस्ती, टेढ़े-मेढ़े घर, लाल टीन की छतें
पगडंडियाँ और गिर्जाघर :
सारे मुर्दे फिर हो गये एकदम ज़िन्दा

इस अचानक प्रकाश में मैं हो गया अन्धा
एक साथ इतनी ख़ुशी उदासी का दूसरा नाम

अट्ठावन

उसकी बाँहें छोड़ते ही वह शहर
सहसा बूढ़ा हो गया, एकदम बूढ़ा
जादू जैसी कोई बात

वह बूढ़ा हो गया
वह कुत्तों की तरह अपनी टाँगों पर नाचने लगा
और फिर वह शहर मर गया सहसा

लाश फूलों जैसी पीली क्यों होती है कभी-कभी
मुर्दों का सौन्दर्य से क्या रिश्ता?

उनसठ

उनके पेट भूख से भरे थे
और कान अफ़वाहों से,
उनके हाथ-पैर खप्पच के थे
और मुँह एक ऐश-ट्रे,
वे सब एक-दूसरे की प्रतीक्षा में खड़े थे
पता नहीं क्यों?
हड्डियों की खूँटी पर टँगी थी खाल की कमीज़

उनको नीचे से कोई सहसा धक्का देता था :
मृत्यु के दिन ही बाक़ी लोग भूल जाते थे
कि उनमें से अभी-अभी कोई ज़िन्दा था :
वे लोग निहायत तहज़ीबयाफ़्ता थे
न वे वसन्त माँगते थे
और न चन्द्रमा

उनके पेट भूख से भरे थे
और कान अफ़वाहों से...

साठ

वहाँ से भागने के लिए मैंने क्या-क्या नहीं किया
मगर मैं क्या करता
उस महल में सिर्फ़ घुसने के ही रास्ते थे
बाहर निकलने का एक भी नहीं :
हर दिशा में लगी थी बूढ़े लोहे की मज़बूत सलाख

उस दिन मैंने अन्तिम बार
मोमबत्ती जलाई
और अपनी परछाईं का पीछा करता हुआ
सीढ़ी दर सीढ़ी नीचे उतरता गया :
मुक्ति की अब मुझे कोई आकांक्षा नहीं थी
अब मैं अपना पतन चाहता था
सम्पूर्ण और गहरा पतन

इकसठ

इस वर्ष बड़ा सूखा पड़ा
बीत गये आषाढ़ और भाद्रपद भी वर्षाहीन
कालिन्दी तट के कुंज, वन मेखला, शरद पूर्णिमा का महारास
सब बन्द रह गये किताबों में
पेड़ों के पास कुछ नहीं शेष रहा
अपनी छाया के सिवा

बाहर रह गये मुर्दे
निर्मेघ आकाश की ओर ताकते अपलक
दम तोड़ते जानवर और निरपराध विधवा फ़सलें;
खेतों की सूखी हड्डी चबाता
अकाल का भूखा कुत्ता

बासठ

गला काटते वकील, पेट काटते सर्जन
भेड़ियों जैसे दलाल, बकरियों जैसी मुलायम लड़कियाँ
भालू जैसे ठेकेदार, गैण्डे जैसे व्यापारी
तपेदिक से बीमार बूढ़ा कलाकार
हड़ताल, नारेबाज़ी और वज़ीरों की कोठियाँ
नरभक्षी चीते की माँद

उस शहर में सड़कों और दरिन्दों के सिवा
और कुछ था ही नहीं

तिरसठ

दिन ने उतार दी धूप की यूनीफ़ॉर्म
बुझती सिगरेट-सा डूब रहा सूरज
नदी की बोतल में
उतर आयी सारे सूर्यास्त की शराब

साँझ का लबादा ओढ़े
वन आने लगे शहरों को बाँहों में भरने
ताकि उसका गला घोंटा जा सके एकदम चुपचाप

प्रेम और हत्या का समय हो गया यकायक
इन दोनों चीज़ों में कोई फ़र्क़ कभी नहीं रहा

चौंसठ

कहवाघर, होटल और कैबरा नृत्य
कमर में बाँहें डाले प्रेमी युगल
शराब के फ़र्श पर टूटते काँच के विश्वास
कॉलेज, अदालत, रेलगाड़ियाँ और वसन्त
सिगरेट और शाम का ताज़ा अख़बार
सब पीछे छूट गये; पीछे

मैं सब कुछ भूल गया
उन जवानों को देख
जो लाम पर जा रहे थे क़दम से क़दम मिलाते
दूर कहीं खाइयों में बैठने
उन नीले पर्वतों से भी कहीं आगे बहुत दूर

बारूद का अजदहा उन्हें निगल लेगा
ताकि हम शराब पीकर यहाँ नाचते रहें

पैंसठ

कल मैं क़ब्रिस्तान गया था
एक दोस्त को दफ़न करने
उसने ख़ुदकुशी कर ली थी

वसन्त की छबीली ऋतु
दिशा खोलती जब अपना मुखड़ा
फूल के बाद खिलता जब अगला फूल
वृक्ष और क्षितिज लगते इतने सुन्दर
जितने वें पहले कभी नहीं थे,
और इन सबके बीच
धरती के इस समस्त रूप को यहीं छोड़
जब कि पेड़ों ने पूरे पत्ते पहिने थे—
वह उसी धरती के भीतर छिपा दिया गया :
उसकी सारी आशा, सारे प्यार, युवावस्था और सारे स्वप्न
खूँटी पर यहीं टँगे रह गये
हमेशा-हमेशा के वास्ते

हम लोग वर्षों से एक-दूसरे को जानते थे
इतनी अच्छी तरह
कि चुप रहने पर भी जारी रहती थी हमारी बातचीत;
मुझे पता था
कि वह लगातार खुश होने की कोशिश में जुटा था
और नतीजा यह था
कि वह होता जा रहा था निरन्तर और उदास :

वह जानता था युवा होने का आनन्द
वह जानता था ज़िन्दा रहने की ख़ुशी
वह जानता था कि हालाँकि सपने कभी पूरे नहीं होते
पर फिर भी उनका सँजोना हमेशा ज़रूरी था,
वह हँसता था आतिशबाज़ी की तरह
आग की झूठी पर हसीन हँसी
वह इतना निश्छल था
कि उसका दोस्त होना नामुमकिन था
नामुमकिन

मैं खड़ा रहा उसकी युवा लाश के पास :
प्यार के बाद जैसे लड़की प्यार के क़ाबिल नहीं रहती–
मुर्दा होने के बाद वह हो गया था हमसे एकदम अलग
बेकार, बेमतलब :
उसकी शक्ल अब अजीब लगती थी
उसकी लाश देखकर मैं सहम गया सहसा
भय की तलवार उतर गयी अँतड़ियों में अन्दर;
एक मैं हूँ जो ज़िन्दगी से डरता हूँ
और वह एक था
कि मृत्यु से भी नहीं डरा
जो उसे ख़ुद ही खींच लाया अपने पास
हालाँकि वह शायद हर्गिज़ आना नहीं चाहती थी;
पता नहीं क्या शर्तें रही होंगी
जिन पर मौत ने उससे समझौता किया...

चुस्ती के साथ क़ब्र खुदती गयी
ये क़ब्र खोदने वाले भी पता नहीं होते हैं कैसे अजीब,
क्या कभी ये नहीं सोचते उस दिन के बारे में
जिस दिन इनके लिए भी कोई बनाएगा ताबूत
और इनके लिए भी खोदेगा कोई क़ब्र ठीक इसी तरह?
और फिर मिट्टी से भर जायेगा वह गड्ढा
जिसे ज़िन्दगी कभी नहीं पाट सकी

कितना भयावह होता है मुर्दा जिस्म

और कितना शान्त होता है क़ब्रिस्तान
जहाँ सदियों से खड़ा है समय वहीं बँधा
जहाँ वह तब खड़ा हुआ था
जब हुआ होगा पहला मुर्दा दफ़न :
बँधे हुए हम भी वहीं खड़े रहे
और देखते रहे लाश को चुपचाप
यूँ तो हमने वह दोस्त कई बार खोया था
पर आज हमने उसे आख़िरी बार खोया

थोड़ी देर बाद चलने लगे बाक़ी लोग
मैं वहीं बैठ गया एक पुलिया पर
जूते से एक फूल को कुचलते हुए
और देखने लगा द्वादशी का चन्द्रमा
जो इस क़ब्र के अलावा दमक रहा होगा
पता नहीं कहाँ-कहाँ...
क़ब्रिस्तान में क्यों होते हैं फूल और चन्द्रमा?
उनको क्या हक है वहाँ जाने का?

और मैं सोचता गया
कि कभी मैं भी युवा था
इसी चन्द्रमा की भाँति
इसी मरहूम दोस्त की तरह
और उस सिगरेट के पहले कश की तरह
जो मैंने अनजाने सुलगा ली थी
क़ब्रिस्तान से लौटते हुए

कल मैं क़ब्रिस्तान गया था
एक दोस्त को दफ़न करने
उसने ख़ुदकुशी कर ली थी

छियासठ

ये बाज़ार, ये शानदार होटल
ये नंगी टाँगें, यह हँसती हुई कमीज़
ये वन के फूल, केले के वृक्षों के वन, यह पीली धूप
ये त्योहार, संगीत, प्रेम, नावें और ये वर्षा
यह अल्हड़ उल्लास और यह क्लब, शराब और गोल्फ़
उजली रातों में
घोड़े पर सवार होकर चाँद का शिकार

तुम कहीं से भी गुज़रोगे
अन्त में तुम पहुँचोगे वहीं
जहाँ तुम्हें जलना या दफ़न होना है :
अनजान और खुश-खुश
हम सब के सब वहीं जा रहे हैं
उसी दक्षिण दिशा को
जहाँ हमें दैत्य मिलेगा
क़िले के बाहर खड़ा
अपनी खुराक माँगता

सड़सठ

दुःखों की अनन्त नदी में भीगी
अपनी देह को बुरी तरह निचोड़
उसने उसे रख दिया एक ऐसे वृक्ष के नीचे
जिसने पहिन रखे थे धूप के उजले कपड़े

कोई नहीं हटा सका अपने सिर से
भय की काली म्यान में छिपी
समय की लटकती तीखी तलवार :
ज़िन्दगी हमेशा रही एक ज़ंग खायी मज़ाक़
हा...हा...हा...

❑

अन्तिम वसन्त
(1988)

अचानक

आज नहीं सुनाऊँगा तुम्हें
अजदहे और क़िले की कहानी
सराय में ठहरे हुए ठग और जादूगर
पंखों वाले घोड़े, रूपवती रानी

आज मुझे ख़ुद हो गया सहसा
सब्ज़परी से जनम जनम का प्यार
आज मैं जाता हूँ स्वयं जीतने उसे
दक्षिण दिशा, सात समन्दर पार

अभी नहीं

ओ मेघ,
अभी मत बरस,
ओ हवा
अभी मत हिल
ओ समुद्र,
अभी मत दहाड़,
ओ वसन्त,
अभी मत खिल

कोई भटक गयी वनों में कहीं
कोई जलाएगी कहीं प्रथम दीप
किसी को खोलनी बस अन्तिम नाव
किसी को गाना बस अन्तिम गीत

ओ हवा,
अभी मत हिल
ओ वसन्त,
अभी मत खिल

असहाय

युवकों के पास होते स्वप्न
वृद्धों के साथ होतीं स्मृतियाँ
मैं अधेड़ पचपन
न कोई स्मृति, न कोई स्वप्न

आयु की बियाबान डगर
अकेले ही नापनी मुझको
वर्ष के बाद वर्ष
वर्ष के बाद वर्ष

शाश्वत

वे सूरमा बर्छी भाले वाले
वे शूरवीर तीरकमान सँभाले,
वे शहंशाह, पंखों वाले घोड़े
किताबों में बन्द हो गये कभी के,
वे सारी रूपवती युवतियाँ
कटाक्ष सजाती वे सारी सखियाँ
झूमर करधनी हार और बालियाँ
दफ़न हो गयीं धरती में कहाँ कहाँ

केवल कवि का शाश्वत कण्ठ
केवल प्रणय का अन्तरंग क्षण
यौवन अभिसार वसन्त
बस इनका नहीं पिघलता स्वर्ण;
आओ, हम भी पकड़ें हाथ
क्यों न चलें कहीं साथ-साथ,
प्रेम का कथानक रहता मात्र
हम को याद, हमारे बाद

वर्षा : एक

कोई नहीं अपना
बीत रहा जीवन
टूट गयी नींद
टूटा नहीं स्वप्न :
बादल घिर आये
कोई नहीं आया
कँपने लगे होठ
प्राण हुआ पराया :
फैलाओ फैलाओ
अपनी वे बाँहें
चरणों से फूट रहीं
अनगिनत राहें

अद्‌भुत हैं अद्‌भुत
आषाढ़ के दिन
मेघदूत के छन्द
आँगन में अनगिन

वर्षा : दो

नदी के खो गये तट
भाद्रपद झुक आया
वन हुए गीतस्नात
बादल गहिराया :
छिप गये पक्षी
सो गये पंख
दिशा दिशा बज उठा
वर्षा का शंख :
दिन का साँवलापन
ढोएगी निशा
मत जाना, मत जाना
खो दोगी दिशा

हरी घास ने पहिने
बूँदों के झूमर
बिखर गये इन्द्रधनुष
ऋतु के नूपुर

प्रथम वर्षा के बाद

श्रावणी वर्षा के बाद
लाल टेसू जैसा चाँद
झील में खिल उठा :
मेरे मन की शाखों पर
रात भर डोलेगा
चाँदी का हिंडोला

पावस की प्रथम वर्षा
एकदम साँवली युवती,
इतने दिनों बाद देखी
तुम्हारी मोरपंखी हँसी,
तन ही कहेगा आज
मन की बात अनकही

विवश

वर्षा के अल्हड़ यौवन को
सँभाल नहीं पाया
आकाश का बूढ़ा छाता :
भीगते गये वन के बाद वन
क्षितिज के बाद क्षितिज
दिशा के बाद दिशा

आज नहीं पढूँगा ताज़ा अख़बार
इतने रूपवान् मौसम में
कौन पढ़ना चाहेगा
गिरती झोंपड़ियों और बहते जानवरों के समाचार?

कॉफ़ी का एक कप और
उसके बाद ताज़ी सिगरेट का दौर

याचना

मैंने तुम्हें देखा था अनायास
मुझे क्या था पता
कुछ भी नहीं देख पाऊँगा उसके बाद

वर्षों से खड़ा यहाँ वनमेखला के तट
जहाँ तुमने दिया था अपना हृदय
धरोहर की तरह
बिना शर्त, चुपचाप
वन में जाने से पहले की बात

भाद्रपद का वर्षा-संकुल आकाश
घिरने लगी धीरे-धीरे मेरी आयु की साँझ
मैं नहीं चाहता वापिस लेना
अपना प्रथम यौवन,
मैं तो मात्र वापिस देना चाहता
तुमको तुम्हारा मन
ताकि मैं मर सकूँ अन्तिम बार
निश्छल और मुक्त-भार

अनुरोध

आज खोल दो घर के सारे द्वार
आँगन में टाँग दो बन्दनवार
खिड़की से आने दो धूप का प्यार
आज वसन्त आयेगा

नदी बहती है छल छल छल
आँखें रोती हैं चुपचाप अविकल
तुमने छीन लिया जीवन का प्रतिपल
आज वसन्त आयेगा

वनों में सहसा फूट पड़े पलाश
मैं तो हो उठा और भी उदास
कोई मिला था कहीं जाने कब अनायास
आज वसन्त आयेगा

चीड़ों के पेड़ों पर फँस गयी हवा
वनों में चाँद निकला कितना नया
कौन याद आयेगा तुम्हारे सिवा
आज वसन्त आयेगा

खेत पहिनेंगे अब सोने का गहना
मैं हो गया पराया, एक बूढ़ा सपना
गीतों के सिवाय कौन मेरा अपना
आज वसन्त आयेगा

खोल दो आज घर के सारे द्वार
आँगन में टाँग दो बन्दनवार
खिड़की से आने दो धूप का प्यार
आज वसन्त आयेगा...

अनुमान

वृक्षों ने पहिन ली फूलों की पोशाक
वनों में जल उठी रूप की मशाल
झील में लेट गया एकदम नंगा चाँद
ओह, वसन्त आ गया शायद...

भिक्षा

आज सारे फूल एक साथ खिलें
नावें चढ़ा लें अपने पाल
बन्द कर दें वृक्ष गिरानी पीली पत्ती
वन में फिर से जल उठे मशाल

आज मैं चाहता
ख़ुशी का एक युवा गीत लिखना
मात्र एक युवा गीत
अपने यौवन का अन्तिम गीत

अफ़सोस

भाद्रपद की वर्षा में केलों की गाछ
जूड़े में जागता पलाश
गिर्जाघर में एकाकी मोमबत्ती
फ़र्श पर नाचती शराब

स्मृतियों की पूर्णिमा में निश्चल
तुम्हारी देह का ताजमहल
मेरी अन्तिम और उदास ख़ुशी
जीवन में पहली बार मिली

मुझे ज़रूरत थी तुम्हारे कन्धों की
जिस पर अपना सिर रखकर
गा सकता मैं अपनी उदासी गीतभरी

अब आने से क्या फ़ायदा
मुर्दा लोग नहीं मरते दुबारा

छवि

अभी तो जली ही जली शाम
तुम जी भरकर नाचो, करो प्यार
मेरी तो मात्र एकाकी इच्छा
सुख से लाँघ सकूँ प्राणों का द्वार

ऋतु आ रही शायद वसन्त की
फूलों की पायल बजाती नौटंकी
जिसने देखा नहीं मेरा कवि
उसने देखी ही नहीं मेरी सच्ची छवि

विद्यापति

वसन्त को देखता
चन्द्रमा नतमस्तक
मैंने छुआ फूल
लगता, छू ली पावक :
रूपफाल्गुनी हवा
खोलती घूँघट
बहती कालिन्दी
राधाकृष्ण के तट

विद्यापति की कविता
जब जब पढ़ता
बन जाता एक साथ
कृष्ण और राधा

चरण-गन्ध

पीली हरी धरती
शीशम टँगे प्राण
मुझे किसने मार दिया
पुष्पों का वाण?
वन हो गये पीले
वृक्ष हो गये लाल
दिन की ही डोंगी पर
चाँदनी के पाल?
शैवाल, कुंद कुसुम
हवा में भरी केशर
हाथों के स्वर्ण कंकण
बजते कन्दर्प-स्वर :
मन्दार लगी आग
गाता कदम्ब राग
सेमल के रँगे भाग
पलाशों की बाँकी पाग

पावक के पुष्पों से
अशोक तो गया दहक
कौन गयी अभी-अभी
छोड़ चरण-गन्ध दमक?

प्रश्न

मैंने कभी नहीं माँगी तुम्हारी देह
मैंने कभी नहीं माँगा तुम्हारा मन
मैंने कभी नहीं माँगा तुमसे तुमको
मैं तो मात्र चाहता वापिस अपनी हँसी
जो ग़लती से मैंने तुम्हें दे दी थी कभी

सेमल के वृक्षों पर पहला चिराग़ जला
आकाश में उड़ने लगे सफ़ेद हंस
वनों में वसन्त सहसा फूट पड़ा :
आज क्या अनायास
तुमने मुझे किया याद?

आत्म-प्राप्ति

उतार दो यह थ्री पीस सूट
फेंक दो ये मोज़े और बूट,
फेंक दो डिग्रियाँ पगार
कोठी बीवी बच्चे और कार,
निकाल दो बैरे खानसामा
उतार लो यह ऊनी पायजामा,
फेंक दो दोस्त, दुश्मन, शराब
सिगरेट, टाई, ड्राइंगरूम, ताश,
लाइब्रेरी, पर्दे और लॉन
फेंक दो ये सारा तामझाम

आज मैं चाहता ख़ुद को देखना
नंगा एकदम नंगा
वही जो है सच्चा रूप
सम्राट् कि भिखमंगा

अब हो जाए एक कप चाय
अपने साथ
अब सुलगे एक चारमीनार
अपने हाथ

पलाशवन

बज उठा अलार्म
ख़त्म हुआ आराम
अब पीता हूँ चाय
नींद हुई हराम;
सुबह का अख़बार
बाथरूम हजामत
कपड़े टाई जूते
दफ़्तर का वक़्त;
ट्रैफ़िक, गाड़ी, शोफ़र
चपरासी, झुकता सर
चेम्बर में बैठे
आगन्तुक मान्यवर;
चाय, बिस्कुट, फ़ाइल
फ़ाइल के बाद फ़ाइल
बीच में ट्रंक काल
जी का जंजाल

मोटी मोटी पोथी
पराँठे और गोभी
मैं करता लंच
बाहर खड़ा वसन्त;
लो आ गयी डाक
एक के बाद एक
वही दुख ग़रीबों के
तुम पियो सिगरेट;
फिर कुछ डाँट-फटकार
मैं ठहरा बड़ी सरकार

दौरे की तैयारी
मन हो उठा भारी;
शाम को फिर वापिस
बदलो कपड़े, पियो कॉफ़ी
टेलीविज़न और मित्र
साँझ हो गयी सचित्र

थका माँदा गुलाम
अब करेगा आराम
दिन भर का टूटा मन
लौटेगा पलाशवन

अश्रुकण

वृक्षों ने सिमटा लिये डैने
खेतों ने उतार दिये गहने
टूट गया धूप का सितार-दर्प
अँधियाला खड़ा, मन्त्रविद्ध सर्प

अब नहीं आओगी तुम इस दिशा
सारी ऋतु करता रहा प्रतीक्षा
मेरे हाथों में अभी भी वे कंकण
जिन्हें तुमने धोया था किसी अश्रु-क्षण

क्रॉस पर टँगा वसन्त

कहीं प्राण, कहीं चरण
मन करता तन अर्पण
वृक्षों से झरते छविकण
वन-कन्या ने पहिना स्वर्ण :
निकला नया चन्द्रमा
झुक आयी मूर्च्छित यामा
पीड़ा ने पकड़ा हाथ
कोई गीत कहीं सहमा :
मणियों के नूपुर बजे
कहीं दूर क्षितिज सजे
वहीं टँगे मेरे प्राण
जहाँ कोई नयन हँसे

प्राण पुलक अत्यन्त
यौवन का हुआ अन्त
रोता पृथ्वी का फाल्गुन
क्रॉस पर टँगा वसन्त

दंगे

नगर में हो गये दंगे
क्रियाशील हो उठे लफ़ंगे
नेता लोग थे सदा के नंगे

वह जो बेचती थी सब्ज़ी
वह जो लगाती थी मग्ज़ी
सब छुपे भूखे प्यासे

वह जो चलाता था रिक्शा
वह जो बेचता था नक्शा
चुपचाप मर गये बेचारे

सजीला लड़का, एकदम पूरा
छाती में किसने घोंप दिया छूरा
रक्त से इतिहास सने

वे शास्त्र, वे पुराण
बाइबिल और पवित्र कुरान
सबके पृष्ठ कर दिये गन्दे

अमीरों ने कराये दंगे
नेताओं ने भेजे लफ़ंगे
वसन्त के फटे लाल हरे लहँगे

मार्च

फिर आ गया मार्च का माह
हृदय फिर भरेगा कराह
मार्च में होता सरकारी वर्ष अन्त
ऐसे में क्यों आते प्रिय वसन्त?

मेज़ पर फ़ाइलों का भारी अम्बार
खिड़की के बाहर झूमता कचनार,
भीतर ठेकेदारों की खुसफुस
बाहर बजते परियों के नूपुर,
ओ वसन्त, मेरे प्राणों के सखा
तुमसे मैं अभी नहीं मिल सकता,
बैठो बैठो स्टेनो के पास
तब तक मैं करता ये काग़ज़ साफ़

सान्ध्यकाल चलेंगे वन की दिशा
जी भर पियेंगे रूप का नशा

वसन्त मित्र

हर्ष से नाच उठा वन
बह चली गन्दमादक पवन
आकाश हो गया रूपकल्प
धूप का मूर्च्छित आकर्षण :
खुल गया रंगों का पथ
उल्लास का हो गया अथ
दिशाओं से उतर रहे पुष्पकिन्नर
अनंग की सेना के अनन्त रथ :
कहीं कहीं स्वर्ण की धूप
कहीं कहीं मरकत की छाया
नीलम, मूँगे और प्रवाल
वर्ष बाद वसन्त फिर आया

लाड़ली करने लगी अभिसार
मानिनी मान गयी आख़िरकार
यौवन ने खोल दिया सहसा
गन्धर्वों के गीत का ज्वार :
मैं तो जानता था सदा
शिशिर थी या वर्षा
कोई भी छोड़ दे मुझे
वसन्त फिर आयेगा;
सच्ची बात कहता हूँ वसन्त
रूप का कहीं नहीं कोई अन्त
तुम्हारी ही प्रतीक्षा में था जीवित
तुम्हारी ही थी अंग में उमंग

किसी ने सुख की कोई बात कही
किसी ने किसी की बाँह गही
मंच पर आते ही वसन्त
बोल उठी बात सारी अनकही :
यह जो पालों वाली नाव
यह जो वक्षों का कसाव
सब दे दो मुझको
अधरों के सारे चंचल दाँव;
ओ वसन्त, मेरे मित्र
रंगों के परिधान में पवित्र
अब नहीं जाना मुझे छोड़
खड़ा रहा वर्ष भर : चटख़ चित्र

धिक्कार

तुम तो गाते रहे कविता
तुम तो लिखते रहे कथा
और तुमने कुछ नहीं देखा

कोई मर गया मजूर
पिस गया खदानों में कहीं दूर
किसी का घर हो गया गिरवी
बेइलाज मर गयी बीवी
कोई गया जेल बेकसूर
दूर दूर कहीं बहुत दूर

कोई हो गया बरबाद
सबके सामने बिना बात
कोई मर गया भूखा
कहीं पड़ गया सूखा
कहीं डूब गया चाँद
आँसुओं के टूट गये बाँध

वे सारे मेहनतकश
बीड़ी का आख़िरी कश
नंगे और बेघर
पसरे फ़ुटपाथ पर

तुमने उन्हें जी भर देखा
उनका दुःख जेब में रखा

दूसरों का दुख तुमने ख़ूब भुनाया
ग़रीबों के आँसुओं से बाँध ली कविता
और तुमने किया ही क्या
तुमने सही नहीं कभी सच्ची व्यथा

मुखौटा

पैरों में पहिना ब्राउन बूट
उसके ऊपर शानदार सूट,
चेहरे पर सुव्यवस्थित दाढ़ी
सामने खड़ी चमचमाती गाड़ी,
जब भी आया रूप का हिंडोला
यौवन का द्वार तुम ही ने खोला,
देते रहे वेदान्त पर भाषण
मैं, मूर्ख, खोजता रहा कारण

कौन से हैं नर्क, तुमने नहीं गढ़े
बाद में जिनमें ख़ुद नहीं पड़े?
ऊपर से धोते रहे रेशमी वस्त्र फींच
भीतर तो रहे पर उतने ही नीच,
बाहर से चाहते दीखना सन्त
मनीषी, विचारक, प्रतिभा के वसन्त,
तुम हो अपने ऊपर अपना श्राप
तुमने जो किया नहीं, था कहाँ पाप?

भ्रम

रात गये किसी ने
पुकारा परिचित स्वर में
मात्र स्वप्न या संशय
सच्चा न हो, इसका भय

सूख गया यौवन का हार
नाव नहीं पहुँची किसी पार
इतनी गहरी भाद्रपद की रात
कौन पुकारेगा मुझे, करेगा बात?

अनिश्चय

तुम्हें पाने की लालसा प्रबल
पर कर नहीं सका निश्चय :
इसी भाँति जल जाऊँगा
आशा-संकुल भय

पतझर की प्रतीक्षा में
बीती मेरी वसन्त-वय

आत्म-स्वीकृति

मैंने नहीं खोजे शब्द
शब्दों ने मुझे खोजा
मैंने नहीं लिखी कविता
कविता ने मुझे लिखा :
छन्दों के मुखर चरण
शब्दों ने किये वरण
मैं जाने कहाँ कहाँ गया
लौट कर कब आया?

जब जब गया तुम्हारे पास
छूट गये थोड़े प्राण अनायास

असमर्थ

कहीं झील में झुका चन्द्रमा
कहीं अकेली खिली कली
कहीं दूर कोई भूखा सोया
मेहनतकश मज़दूर कुली :
देस-कोस की बातें करते
खाकर खैनी, हँसी भली
चाँदी के तारों से खिंचा
मेरा जीवन कठपुतली :
पीछे छूटा सब पलाशवन
खुले पाल और नाव हिली

उदासीन

धरती लगती
नाचती युवती
फूलों का दबाव
टूटी लाज की आँगी

पूर्णिमा का चन्द्रमा
कहीं निकला होगा
मैं तो ढो रहा अभी भी
प्राणों का अँधेरा

ज्वार

तुम हँसी, कहाँ कहाँ फूल खिला
तुम हँसती रहो इसी भाँति सदा सदा,
मैं देखता रहूँ यह हँसी यहीं खड़ा
वर्षा में धुला साँवला मुखड़ा :
केले की अनन्त गाछ

तुम्हारी देह-छवि, हँसी का हार
मेरे तो तन में आ रहा ज्वार
लजाती रहो इसी भाँति हर बार
तुम्हारी ही उम्र का मेरा प्यार :
प्रणय का पीला पाश

विवश

विवाह के योग्य तीन सुन्दर बेटियाँ
स्कूल जाने लायक़ दो छोटे लड़के
यक्ष्मा से पीड़ित गर्भवती पत्नी
दो दिन से नहीं जला चूल्हा
भूख से बिलबिलाते पेट
क़र्ज़ से बिंधा बाल बाल
मिल में चल रही हड़ताल

शंकरदास ने बचाए पैसे माँग कर भिक्षा
दारू पीकर वहाँ नाली में पड़ा;
आदमी का वह गन्दा चिथड़ा
हड्डियों की ठठरी पर चढ़ा चमड़ा

दाँव

तुमने लगाया कौड़ियों का दाँव
मैंने लगाया अपना हृदय
तुमने सोचा-विचारा, समझदारी की
मैंने नहीं देखा प्राणों का भय
तुम हो गयीं पराजित
अपनी ही चतुरता से
मैंने सब कुछ पाया
बिना माँगे मुख से

मैंने पराजय को किया पराजित
अपना सब कुछ तुम्हें देना चाहा
बीच ही में लग गया ग्रहण
पूर्ण चन्द्रमा फिर नहीं निकला

अन्तिम ज्वार

रंग-बिरंगे फूलों से लदे
सारे वसन्त पीले और हरे
नाव में बदल गये सहसा;
और उसके बाद वह नाव
उड़ाती धूप के चमचमाते पाल
चली गयी उधर नदियों के पार :
मेरे यौवन का वह अन्तिम ज्वार

तुम्हें यदि मैं पा सकता
तो इतना सच्चा प्यार
हर्गिज़ नहीं करता कभी
किसी के भी साथ

वसन्त-ज्वाल

तुम हँसते, रतन बरसते
तुम रोते, मोती झरते
ओ वसन्त, तिथिहीन चन्द्रमा
चरण तले फूल खिले :
जुड़े वक्ष, गुँथे हाथ
पुलकित तन, झुके माथ
रूप-दीप्ति-शिखा : जले
रति अनंग साथ-साथ

पीले खेत

पीले खेत
पीले खेत
पीले खेत
वसन्त की छबीली झूल
झाड़ियों में खिले फूल
पुष्पधन्वा रति के कूल

पलाशों की जार्जेट साड़ी
हवाओं ने फिर झाड़ी
मौसम पीता रात भर ताड़ी

वृक्ष : कोयल कूजी
नदी : चन्द्रमा से ढकी
तुम : फिर वही हँसी

मौसम : होने लगा गर्म
गीत : छूने लगे मर्म
और मैं : सृष्टि का अन्तिम ग़म

धूप लग रही कहानी
सोने की छतरी तानी
वनों में नाच रही रानी

पीले खेत
पीले खेत
पीले खेत

मोह-भंग

अब न आना मेरी दिशा
कुछ नहीं शेष : न व्यथा, न कथा;
पल छिन अनगिन
अपनी ही अग्नि से जलते गये
वसन्तों के पीले दिन

ओठों पर लग गया ताला
मकड़ी को खा गया उसी का बुना जाला
वर्षों से बन्द पड़ी
हृदय की दीवारघड़ी

कुछ दोस्तों की याद

सुरेन्द्रपाल, दुष्यन्त, हरकिशन
परमार, मुन्नीलाल, चेतन
इतने सारे मित्र
सबने पहिन लिया कफ़न
एक के बाद एक :
कैसे गा पाऊँगा सारा राग
उखड़ती जा रही जब
लड़ी के बाद लड़ी
टेक के बाद टेक

कुछ नहीं बिछुड़ा;
खेतों में खड़ा धान
सदा से इसी भाँति
उपजा, पका और झड़ा;
मगर फिर आती नयी वर्षा
फिर आते नये पलाश
फिर आते लम्बे पीले दिन
इसी तरह आस-पास

जीवन का रूपवान् मुखड़ा
मृत्यु से ही निखरा
सदा सदा

अन्तिम सत्य

दिन फिसलते गये हाथों से
मैं नहीं पहिना पाया
खुशियों का हार
वे हमेशा जल्दी में थे

जितना कम होता गया आयु का शेष
जीवन में कुछ नहीं बचा विशेष

जीवन में सब कुछ जाने वाला
न रहता प्रणय, न रहता दुख, नहीं रहती उदासी तक
सच्ची है मात्र चिता
क्यों नहीं लगा इसका मुझे पहले पता?

यह नदी, ये वन, ये पर्वत
ये ऊबड़-खाबड़ गाँवों के नाम
जिन्हें मैं समझता था निरर्थक व निर्जीव
वे मेरे बाद भी रहेंगे इसी स्थान :
जीवन ही मरता वर्ष के बाद वर्ष
मृत्यु मरती नहीं कभी
हर जलते शव के साथ
मृत्यु होती और भी युवती

दुखान्त ही रही सदा
जीवन की प्रणय कथा

साफ़ बात

जहाँ भी देखा अपराध
वहीं उट्ठा बदले का भाव
जहाँ कहीं दीखा कोई दुखी
मेरी कलम अपने आप रुकी
जब भी आयी वर्षा
मेरा प्राण पुलक पुलक हर्षा

आया वसन्त मैं हो उठा व्याकुल
हँसी का बौर झड़ गया उसी पल
इतने ग़रीब, इतने कुली
ईश्वर की थी क्या इच्छा यही?
भूख की अग्नि से जलते कंकाल
तुम्हारी डोंगी पर सुख के इत्ते पाल

मुझे याद आता कोई ठीक इसी वक़्त
फिर से खौलने लगा प्राणों का रक्त
सारे धर्मों को संशय ने जीता
राम को क्या कभी मिल सकी सीता?
इतना अनाचार, इतना हाहाकार
तुम्हें नहीं दीखता दुःखों का ज्वार?

जिस किसी ने कुछ भी नहीं किया
तुमने तो उस तक से बदला लिया
जब-जब किया तुमने ग़लत काम
रुक न सका मेरे कण्ठ का आयाम
पाप करने को करते विवश
साँसों की सिगरेट का अन्तिम कश

इतनी-सी बात पर हो गये नाराज़
मुझसे हो गया कोई बड़ा पाप?
मैंने नहीं छोड़ी कवि की लाज
क्या यही हो गया संगीन अपराध?
मैंने तुमको सत्य दिखलाया
तुमने मुझको दोषी ठहराया
तुम कभी नहीं कर सकते बन्द
मेरे वर्ण, मेरे प्राण, मेरे छन्द

निस्पृह

जब तक चन्द्रमा, नीलम जड़ा वसन्त
जब तक वर्षा और ऋतुओं का ज्वार
मेरी इच्छाओं का हो गया अन्त
तुमने पहिना दिया रूप का हार

निराशा

जब मैंने देखे थे निराला और पन्त
आज से लगभग पैंतीस वर्ष पूर्व
मुझे वे बिल्कुल नहीं लगे थे गन्धर्व या किन्नर :
वे तो थे ठीक मेरी तरह हाड़-मांस के पुतले
मल-मूत्र, दुःख, भय और भूख-प्यास :
उन्हें देखकर प्रश्न उठा था उर के भीतर
कहाँ छिपी थी उनकी स्वर्ण-छवि
मेरी भाषा के वे अजर और अमर कवि?

किसने लिखी उनका नाम धारण कर इतनी व्यथा
चन्द्रमा, वसन्त और दुःखों की अनन्त कथा?
क्या उन्हीं देहों में थे बन्द
वे रससिद्ध कवि, वे वसन्त के छन्द?
जब तक रहेंगे सूरज और चाँद
तब तक जीवित उनके स्वर्ण-प्राण

कितना अच्छा रहा मैंने कभी
देखे नहीं सूरदास, जयदेव, विद्यापति

पुष्प-कथा

किसी ने साथ नहीं दिया इतना
जितना मेरी उदासी ने दिया
अब तो मैं स्वयं नहीं चाहता
उदासी का हाथ छोड़ना :
मैं नहीं छोड़ना चाहता
दो माह के वसन्त के कारण
पतझर का पूर्ण वर्ष
जीवन के तीसरे चरण

मैं तो था अशोक का वृक्ष
किसी बीहड़ पर्वत के कूल
उदासी का लगते ही पदाघात
खिल उठे फूल ही फूल

गीत परी

नारियल के वृक्षों से
बाँध दिया मैंने
झुर्रीदार चेहरे वाला बूढ़ा और खूँख्वार समुद्र :
वक्ष के भीतर छिपी
सोने की युवा परी
अब गाएगी धूप और चाँदनी के गीत
यौवन व साँसों का संगीत

आलीशान इमारतें, गाड़ी दौड़ाती सड़कें
मज़दूर, फ़ैक्टरियों की चिमनियाँ व कुली
मेले, पके खेत और लजाती वनकन्या
वसन्त की परी एक एक खिला गीत सबको देगी

अकेली वसन्त की पीली परी
समाप्त नहीं होते जिसके गीत कभी

एक सच्ची कथा

गंगाचरण की हो गयी शादी
सात सौ रुपये नकद
क़ीमत थी पत्नी की

सुन्दर व साँवली लड़की
उम्र की एकदम कच्ची
अपने गाँव जाना चाहती :
उसे नहीं था पता
जिसने उसे बेचा था
वह था स्वयं उसी का पिता

वह थी याद करती
खेतों की मिट्टी सोंधी
पलाशों की नंगी दुपहरी
गाँव की बाँक वाली नदी
एक के बाद दूसरी सखी
नदी के बाद अगली नदी

पन्द्रह दिन तड़पती रही
रोग की रेत पर मछली
वह चाहती थी अपने गाँव जाना
मृत्यु से प्रथम आँखें खोलीं
बूढ़ा पति था सयाना
एकदम नहीं माना

आँखों में भरकर पानी

उसके बाद रोती रही रानी
जब तक समाप्त हुई कहानी

यह नहीं स्वप्न या कल्पना
यह मेरी आँखों देखी घटना

पूर्णिमा

वापिस कर दो मुझे
मेरे आँसू, उदासी और शोक
वापिस कर दो मुझे
मेरे प्राणों का युवा कोक :
मैं नहीं जी सकता बाक़ी
एकदम एकाकी

हवाएँ हो गयीं नंगी
नदी के वक्ष पर सो गया चाँद
मैं नहाता रहा : चन्द्रमा की वर्षा
लज्जा के टूट गये बाँध

दूर कहीं कोई चिड़िया चीख़ी
सहसा याद आ गया कुछ ऐसा प्रबल
ताश-सा ढह गया मेरा स्वप्नमहल

नंगा सच

पाप रहा सदा पुण्य से प्रथम
जहाँ जहाँ पहुँचा पुण्य
वहाँ पहले से ही पहुँच चुका था पाप
जीवन के ऊपर मृत्यु का श्राप

पाप के प्राण उर के भीतर
पुण्य बाहर से लादा गया सदा
निःसर्ग के ऊपर उपदेश की क़ीमत क्या?
पुण्य लादने वाला जो था बेवकूफ़
उसे मिली पूरी सज़ा
वह शायद ग़लती पर था

सुकरात को दिया गया ज़हर
ईसा मसीह को सूली
दयानन्द को पिसा हुआ काँच
गाँधी जी को तमंचे की गोली

हम ठीक वहीं हैं, जहाँ थे
पुण्य सुने, पाप किये :
प्रतिज्ञा और प्रायश्चित्त के बीच
हम सब लोग
जीवन भर लटकते रहे
लटकते रहे

परख

फाल्गुन में रँगे गये रंग
फूटता अनंग अंग अंग,
शरद् में आया ज्योति का पर्व
मुझको दीपक-सा जलने में गर्व,
चले गये, चले गये, वर्षा के चरण
मेरी उदासी का यही कारण

किसी ने नहीं देखा प्राणों का वर्ण
तुम ही ने परखा मेरे हृदय का सुवर्ण

प्रश्न

वृक्षों की शाखों पर
किसने दी लौ दीपक को,
कब से बिखरा रूप रास
जगाया नहीं मुझको?
बिना मेरी आज्ञा के
कैसे तुम हुईं युवा,
बिना मुझसे किये बात
बहती फाल्गुनी हवा?

पुरातन प्रणय-पाप
रूप का नहीं अन्त,
मुझसे मिले बिना
चला गया वसन्त?

कारावास

मैं नहीं जीत सका कभी
राजकीय चाकरी का ताश,
कोई भी तो क्षण नहीं मेरा
जीवन सारा बन गया लाश,
क्यों दिये इतने सुख मुझको
बीच ही में डूबने लगा जहाज़,
क्यों नहीं छोड़ देता यह लालच
झूठी पद-गरिमा और जुड़े हाथ,
मैं तो अपनी इच्छा से बन्दी
मेरी कायरता मेरा कारावास

मेरा कोई नहीं सच्चा मीत
मैंने कभी नहीं गाया ख़ुशी का गीत
मैं हो उठा और भी उदास
वनों में तो फूट पड़े पलाश

कारण

मैंने तुमसे इतना इतना कहा
मैंने तुम्हें इतना हँसाया
मगर तुम्हें नहीं पता
मैंने तुमसे कितना कुछ नहीं कहा
तुम्हें हँसाने के बाद
मैं कितना रोया

किसी के कारण किसी का यौवन उजड़ा
उन दोनों के दुख का श्रावण
मेरी आँखों में सदा सदा उमड़ा

जहाँ जहाँ कोई प्रेम विफल रहा
जहाँ जहाँ कोई फूल नहीं खिला
उन सबको लेकर
मैंने सदा यही सोचा
उस सबका कारण मैं था

आत्म-कथा

उखड़ी हुई खपरैल की मुँडेर
कच्ची दीवारों पर पड़ा फूस
फटी साड़ी में यौवन ढकती बहिन
गिरवी रक्खे जाते अन्तिम ज़ेवर
गन्दी गन्दी गालियाँ खाती अम्माँ
हुक़्क़ा पीता बाप, खूँख्वार निकम्मा

आँगन टँगे पिंजरे में एक तोता
जिसने मेरा बचपन देखा
अपनी क़ैद से कभी नहीं छूटा
पिंजरे ही में मर गया बेचारा

देहमान

मेघों में नहीं छिपा कोई सन्देश
नदियाँ पर जा रहीं प्रियतम के देश
दक्षिणी हवाओं का उड़ता आँचल
मुग्धा ने बाँध लिये फूलों से केश

खेतों में झूम रहे पीले धान
आज रात गाएँगे जी भर किसान
कल का कुछ पता नहीं : छोड़ो मान
रेलों में जा रहे लाम पर जवान

यात्रा

काँगड़ा की घाटी के स्वर्णपीत खेत
उनके पार फैले गहरे हरे वन
पीछे उठती नीले पर्वतों की क़तार

तुम्हारे बिना नहीं देखी जाती
इतनी रूपवती ऋतु :
मैं आँखें बन्द करता हूँ
तुम्हारे कारण
मात्र तुम्हारे ही कारण

अपना चेहरा

दिशाएँ झाड़ने लगीं समुद्र का गलीचा
गहरी होती गयीं लहरों की सलवटें
ऊपर तना रहा उदास आकाश

सूर्यास्त के प्रकाश में आज
राजकुमार सा चमकता मैरीन-ड्राइव
चौपाटी पर क़ीमती सूट, हँसती साड़ियों की भीड़

वैभव की सीढ़ियों के ठीक नीचे
जूठे पत्तों की प्रतीक्षा :
अधनंगे भिखारी बच्चे
मैं जिनमें ढूँढ़ता रहा
अपना चेहरा

आकुल

पटरी के दोनों ओर
गन्दी झोंपड़ियाँ इधर-उधर फैलीं
पुराने तिरपाल, कनस्तरों के टुकड़ों की छतें
एकदम सामने पेशाब करते लोग...

फ़र्स्ट क्लास के डिब्बे की खिड़की
बाहर दीखती कुलियों की यह पापी बस्ती
सेठ जी रखते नाक पर रूमाल;
खिड़की में से उचककर हँस पड़े सहसा
सिगनल शायद हो गया हरा

सूरदास

कल हुआ था ऑपरेशन आँखों का
जो हो गया ग़लत
अब शायद कुछ नहीं देख पाऊँगा कभी
सच, कुछ भी तो नहीं

अब तक मैं देखता था तुम सब को
पर तुम नहीं देखते थे मुझे;
अब सब देखेंगे मुझे
मात्र मैं नहीं देख पाऊँगा तुम सबको
चन्द्रमा, पलाश और वर्षा
अब नहीं आयेंगे कवि की दिशा

रासलीला, राधा का यौवन, यमुना और बंसीबट
ब्रज की वीथियाँ और पूर्णिमा की छटा
वाणी में बँधा इतना रूप और शृंगार
सूरदास क्या सचमुच अन्धा था?

यदि अन्धा होने पर ही दीखता सौन्दर्य इतना
तो मैं भी चाहता अन्धा होना

अज-विलाप

नदी में हो गया पानी
पहले से ज़्यादा गहरा
यौवन पर बैठ गया
प्रेम का पहरा;
वनों का सारा रूप
वसन्त में सिमट गया
स्वर्ण के छन्द-चरण
गीत गा कर कौन गया?

मुझको ऋतुराज का श्राप
करता मैं अज-विलाप

पराजय

रूप का आलिंगन
ऋतु की रानी साथ
अजन्ता की प्रतिमा
लग गयी फूल के हाथ
यौवन बीत गया
लालसा का नहीं अन्त
परस्पर पराजित
मन्मथ और वसन्त

प्राप्ति

महानगर की लकदक भीड़
हाथ फैलाकर भिक्षा माँगते बच्चे
फटे वस्त्रों में भूखे मज़दूर
सड़कों पर सोते थके माँदे कुली

इन सबके बीच निकलने पर
मुझे अपना वह गीत मिल गया वापिस
जो मैंने बीहड़ वनों में खोया था कभी
नंगे तट : यौवन से लजाती नदी

उपलब्धि

सूर्यास्त की पगड़ी पहिन
समुद्र का सरदार
तट पर पड़े पत्थरों को
बनाने लगा जल के फूल
पाप जैसी आकर्षक और मुलायम भूल

तुम पकड़ते रहे मछलियाँ
तुम गिनते रहे डोंगियों के पाल
मात्र मैं था एकाकी ऐसा
कन्धों पर जाल समेटे
पकड़ता रहा लहरों पर लिखी कविता

घायल

किसी के जाल में आज फँस गया समुद्र
तड़पने लगा मछलियों की तरह
तट की चट्टानों पर सिर पटकता पागल

पिघलते सोने की डोंगी में बैठा
कल तक तो बाँट रहा था
मोती सजी लहरें, बजती हवा :
कहाँ से पहिन लिया इसने ज़ख़्मों का हार
आज क्या हो गया इसे सहसा?

पागल

खेत हो गये पीले
आज चाँद न निकले,
आज की साँझ न बने रात
मैं और वसन्त करते रहे बात,
फूलों की वर्षा कंचन
फिर से टूट रहा टूटा मन,
मुझसे फिर हो गयी भूल
मैंने देख लिया खिला फूल
फाल्गुन जब कभी आता
मुझको पागल कर जाता

दूसरा तट

परियों की वही साड़ी
आज और भी पीली,
फूलों को बना दूत
बातें करती तितली,
हम यहाँ बेंच पर बैठे
ऊपर टँगी छतरी नीली

पहले आया था वसन्त वन
आज आ गया दोनों के मन
मन से तन की दूरी
किसी ने की कभी पूरी?
देह तक भी यदि पहुँचेगा वसन्त
प्राणों में ही होगा उसका अन्त,
मैंने जान-बूझकर सब सहा
नदी का दूसरा तट अब नहीं रहा

कुली

बँधे कमर और हाथ
सब अटैचियों से लदे :
एक यात्री के बाद दूसरा यात्री
वज़न के बाद वज़न

धूप का चश्मा लगाये उतरीं मेम सॉब
देखेंगी गुलमर्ग और डल झील
जहाँगीर और नूरजहाँ के शाही बाग़ात
निशात और शालीमार
केसर के खेत
और चिनारों के वन

कितनों को भेज चुका काश्मीर
खुद वह कहीं नहीं जा पाया कभी
जीवन बीत गया
जम्मू तवी स्टेशन
कुली नम्बर तिरपन

स्मृति

पीले फूल जूड़े में खोस
हरे खेतों की साड़ी पहिन
कण्ठ में डाल हवाओं का हार

वसन्त की चंचल परियाँ
वही गीत गाने लगीं दिन में
जिसे हमने रात में गाया था
कभी अन्तिम बार

निश्चय

परियों ने छीन लिया मेरा जादू का थैला
और छिपा दिया उसे
समुद्र की लहरों या नारियल के वनों में
चुपचाप : गहरा निशीथ

जब सारे लोग हो जायेंगे सुखी
जब कोई नहीं रहेगा नंगा, भूखा या बेकार
जब कोई नहीं करेगा एक दूसरे का शोषण :
जब वे बन्द कर देंगे
आपस में लड़ना युद्ध के बाद युद्ध के बाद युद्ध
तब उस थैले की याद सबको आयेगी सहसा
ढूँढ़ेंगे उसे बच्चे, युवा, वृद्ध

उस थैले में भरे
परियों के पंख से ताज़े
प्रणय और यौवन के गीत :
हर्ष की छनछनाती अशर्फ़ियाँ
जिन्हें मैं पगडंडियों पर बिखेरूँगा
बच्चों में बाँटूँगा
और उसके बाद फाड़ दूँगा उस थैले को
ताकि कोई न छुपा सके कभी
वसन्त से खिले मेरे गीत कहीं

आग्रह

ओ सूरज, तुम जाओ पर्वतों के पार
ओ नदियो, तुम जाओ प्रियतम के पास
पर्वत-तट समुद्र खाता पछाड़
नीली लहरों से तोड़ता मेरा हाड़
ओ वसन्त, तुम जाओ चम्पागढ़ देश
वन के बीच नाचो चन्द्रमा, इसी वेश
ओ मेरी चिरपरिचित दक्षिणी हवा
अब तुम ढूँढ़ो कोई दूसरी दिशा

खाने को सूखा टुकड़ा माँगते लोग
दफ़्तरों को भाग रहे बाबू लोग
स्कूल जा रहे ख़ुशी-ख़ुशी बच्चे
नीली वर्दी में लगते कितने अच्छे
मज़दूर घिसट रहे फ़ैक्टरियों की ओर
वनों में नाच रहे सतरंगी मोर
हंस जा रहे कहीं दूर दिशा
वसन्त ने विन्ध्याटवी से ब्याह रचा

रूप-वसन्त

खेतों में बिखर गया स्वर्ण-हास
फिर से आ गया चैत्र-मास,
नदी तो फिर हो गयी क्वारी
हवाओं ने बदल ली अपनी साड़ी,
वृक्षों को रँग गया हल्दी के रंग
निर्जीव पत्थरों तक पहुँच गया अनंग,
वनों में दौड़ते फिरते हरिण
वनपाखी टूँगते धूप की किरण,
धरती पर लेट गयी नंगी तिलोत्तमा
चूमने को झूमेगा आज रात चन्द्रमा

अब नहीं ज़्यादा फैलेगा यह हाथ
पकड़ो और चली चलो मेरे साथ
वनों में फिर नाच रही वही
छबीली, वसन्त की चम्पाकली

महानगर

स्टेशन पर उतरते ही
सामने नाचने लगा पागल महानगर :
सूखे झुर्रीदार दरो-दीवार
चेहरों पर लिखी भूख और प्यास की बदरंग इबारत
आयु का भार ढोते दुर्बल टूटे कन्धे
फ़ुटपाथ पर लेटे थके माँदे लोग
टाट से लिपटी कंकालों की ठठरी
आँखें, गहरे काले धुएँ में बिसरी

न कोई ग्रामगीत, न कोई लोककथा
जिसमें मारा गया राक्षस अन्तिम बार
कोई नाव नहीं पहुँची कभी
दक्षिण दिशा, सात समन्दर पार

रिक्शा खींचते हज़ारों लोग
पशु की भाँति प्रातः से जुते
हाँफते, थूक निग़लते, खैनी खाते
तपती सड़कों पर नंगे पाँव दौड़ते
बतियाते, बतियाते

ज़ोर लगा कर हइया
थोड़ा रह गया भइया...

चिरयुवा

मैंने सब सुना आगे का हाल
पलाश के वनों में जल उठी मशाल,
बाँसों के वन और नदियों की धार
गीतों के पुल से मैं करता था पार,
वसन्त जहाँ बजाता रंगों का सितार
बर्छी से वेधता प्राणों का द्वार

सब कुछ बदल गया, मुँद गये कमल
मेरे आँगन वर्षों से नहीं बरसे बादल,
बोलो, कब उतरेगा प्रणय का ज्वार
ओ वसन्त, मैं आ गया पचपन के पार,
ग़लती से आ गया आयु का ध्यान
कवि तो रहता जलने तक जवान

वसन्त

गीत-सा बज उठा आज वसन्त
सोने के तार सा खिंच गया वसन्त
किसी की याद-सा आ गया वसन्त
चाँद-सा निखर गया आज वसन्त

मदिरा-सा पिया गया आज वसन्त
दूल्हे-सा सज गया आज वसन्त
फूल-सा बिखर गया आज वसन्त
अब नहीं आयेगा ऐसा वसन्त

उत्तर

कभी-कभी बोलता मेरा मन अतीत
कब तक मैं गाऊँगा रंगों के गीत

जब तक लड़ते हैं लाम पर जवान
अग्नि में निखरते जिनके स्वर्ण-प्राण,
जब तक धरती पर एक भी गुलाम
कौन रोक सकता कवि का वाण?
जब तक होता अपमान में मरण
कैसे कवि छोड़ेगा छन्द—चरण?
जब तक मरता नहीं युद्ध का गिद्ध
कोई कवि हो सकता कैसे वृद्ध?
जब तक होता कहीं अत्याचार
कैसे मर सकता कवि मुक्तभार?

कभी-कभी पूछते मेरे मीत
कब तक मैं गाऊँगा रंगों के गीत?

अन्तिम वसन्त

चीड़ों के वे गहरे वन, कनेर के फूल, जलते हुए पलाश
नदी के पार जातीं पालों वाली नावें
भाद्रपद की वर्षा-संकुल साँझ
शरद् की रजत् ज्योत्स्ना और चैत्र के पके स्वर्णखेत
अब नहीं आयेंगे मेरे जीवन में
वे सब मुझे छोड़ चले गये कहीं दूर :
खुशियों का हार मुझसे छूट गया
हँसी का सितार मुझसे टूट गया

ये छोटी छोटी इच्छाएँ, झूठे भय, स्मृतियाँ खोखली
बन गयीं बेड़ियाँ मेरे चरणों की
मैं हो गया बन्दी उसी कारागार का
जिसे मैंने ख़ुद ही बनाया था

हम सब हैं अपने आप के बन्दी
हमें कोई नहीं कर सकता मुक्त
सच, कोई भी तो नहीं...

अब की बार आया था जो वसन्त
बस, वही तो था मेरा अन्तिम अन्त

पीड़ा

बुझ गये पलाशों के चिराग़
वसन्त का रथ चला गया सहसा
कहीं दूर किसी ने आह भरी
कहीं किसी का आँसू टपका :
मैं कुछ नहीं कर पाया किसी के लिए
सच, कुछ भी तो नहीं

चिनार हो गये लाल
हवाएँ हो गयीं ठण्डी
पतझड़ आ ही गया :
झील में गिरतीं सोने की पत्तियाँ
हाय, किसी ने नहीं लिखी उन पर कविता
सच, किसी ने भी तो नहीं

सारे फूल मर गये चुपचाप
वन हो गये एकदम नंगे
हवाएँ गाने लगीं मृत्यु का गीत :
किसी टूटे हुए सितार की तरह
उन सब ने मुझे फेंक दिया
साँझ के गड्ढों में :
मेरे लिए कोई नहीं रोया
सच, कोई भी तो नहीं...

देह-शंख

चन्द्रमा बदला, बदले क्षितिज
उजड़ गये हर्ष के मेले
इतना झुक गया आयु का धनुष
पर नहीं कोई वाण, जो निकले

वसन्त तो उड़ गया लगा पंख
अब क्यों बजा रहीं तुम देह-शंख?

आकांक्षा

कटाक्ष जो नहीं फेंका गया
वाण जो धनुष से नहीं निकला
गीत जो नहीं गाया गया
रूप जो अभी नहीं जीता
वसन्त जो अभी नहीं खिला
युद्ध जो अभी नहीं छिड़ा
इन सबकी कितनी क़ीमत...

जब पूर्ण हो जायेंगे इनके प्राण
सबका उतर जायेगा देहमान

मैं नहीं चाहता कुछ भी पाना
मैं तो चाहता बस इच्छाएँ सँजोना

आश्वासन

वृक्ष पर बैठी
एक चिड़िया अभी भी

बाबू जाते दफ़्तर
देह में लग गये पर,
स्कूल पहुँचे बच्चे
भय और हर्ष से सच्चे,
लग गया बाज़ार
फूल उठा कचनार,
आ गयी कालका मेल
कुली, यात्री, रेलपेल,
फ़ैक्टरी की चिमनियाँ
धुएँ की बालियाँ
आ गया अख़बार
कितना किया इन्तज़ार

वृक्ष पर बैठी
एक चिड़िया अभी भी

युद्धों के समाचार
पीड़ितों का हाहाकार,
आत्महत्या, अपराध
डकैती, बलात्कार,
रिश्वत, खुशामद, प्रमोशन
फ़ाइलों में उलझा मन,
बंसीबट, यमुना तट

राधा-कृष्ण पीत मुकुट,
पद्माकर का वसन्त
नगरों में खोजता अन्त,
अदालत और जज
घण्टा गया बज

वृक्ष पर बैठी
एक चिड़िया अभी भी

कहीं होता जन्म
कहीं जलता शव,
किसी को लगेगी फाँसी
रात भर जागेगा भय,
कोई मिलेगा कहीं
ख़त्म होंगे गीत वहीं,
अधर पर अधर
मदिर से मदिरतर
कामदेव का पाँचवाँ वाण
बिंध जाते तन, मन, प्राण
मेले उत्सव हँसी
चाँदनी में धूप फँसी

वृक्ष पर बैठी
एक चिड़िया अभी भी

बीत गया यौवन
अब बीतेगा जीवन,
न गाँव न चौपाल
न डोंगियों पर पाल,
न राजा न प्रजा
सबको जीने की सज़ा,
न रहेंगे प्रभु
न रहेंगे प्राण,
आशा, श्रम, प्रतीक्षा

चुकेंगे सारे वाण,
अक्षर और छन्द चरण
मृत्यु को करेंगे वरण

वृक्ष पर बैठेगी
एक चिड़िया तभी भी

कृष्णपक्ष की पूर्णिमा
(1996)

सिरहाने 'मीर' के आहिस्ता बोलो
अभी टुक रोते-रोते सो गया है

महाप्राण निराला के चरणों में
बैठ कर बिताये गये अमूल्य क्षणों की स्मृति में

एक कविता और

सब कुछ खो दिया
सब कुछ पाने की अदम्य लालसा में;
पथ ही हो गया निर्वाण,
ज्योति जल गयी दीपक में

चला गया पीला यौवन
उड़ गया आशा का पाखी,
बिछुड़ने लगे मित्र के बाद मित्र
टूटती हैं स्मृतियाँ और उदासी भी

पर तुम तो थे स्वभाव से कवि
दर्द ही में फूटता कण्ठ जिसका
कहाँ गयी तुम्हारे छन्दों की छवि
कहाँ उड़ गयी पीड़ा की बलाका?

फिर से आ पहुँचा वसन्त
यमुना के तट पर फूट पड़े कदम्ब,
आम्र के वृक्षों पर आने लगा बौर
क्या नहीं गाओगे एक गीत और?

दिन कविताओं के...

तुम हँस पड़ी सहसा;
दूल्हे सा सज गया चन्द्रमा
निकल पड़ी नक्षत्रों की वरयात्रा···

अब आयेगा वसन्त;
सारे वन पहिनेंगे
शोख़ रंगों के वस्त्र चटख़,
फिर तेज़ दमकेगा सूरज
निरंकुश, निर्दयी, तानाशाह,
हवाओं की नदी पर घूमेगी
धूप की नंगी नाव, बिना पाल;
फिर आयेगी कालिदास के यक्ष की ऋतु
आषाढ़स्य प्रथमदिवसे...
फिर वर्षा को लाएगी पूर्वा हाथ पकड़
लगा कर मेघदूत का छाता, कंचन का,
फिर आयेगा भाद्रपद
घिरती वर्षा-संकुल साँझ—वनों में—उधर बहुत दूर—
समुद्रों से लौटेंगी मछुओं की मांसल लड़कियाँ
गन्धभरी, साँवली और चंचल,
वे सब सागर-कन्या···
पुरानी स्मृतियों की गहरी नदी—
मन की टूटी डोंगी नहीं डूबी

क्या फिर आयेगी कभी शरद की पूर्णिमा
चाँदी की रात्रियाँ, स्वर्ण का चन्द्रमा?
क्या कभी फिर आयेंगे
दिन पीले, कविताओं के?

मणि-महल

मैं जानता हूँ, मनुष्य का हृदय—
सृष्टि का ठहरा सबसे बड़ा रहस्य;
क्या मिलेगा भीतर—
वर्षा या वसन्त,
कार्तिक की पूर्णिमा या हेमन्त की निशीथ,
फाल्गुन के फूल या वैशाख की आँधी
किसी को पता नहीं...

मगर तुम तो हो मेरे अपने
मत बाँधो सपने,
मत पकड़ो मेरा हाथ
मत चलो साथ

कर लो अपना मन संयत
मैं बताता हूँ हक़ीक़त

मत तोड़ो मेरे हृदय का मणि-महल,
यहाँ कुछ नहीं मिलेगा तुम्हें,
मैंने पहिली बार सच बात कही;
उस माँझी के तट जाने से क्या फ़ायदा
जिसके पास नाव ही नहीं?

अतीत

वैशाख सी जलती आँखें
हँसते बच्चों जैसी साँझ,
लैंसडाउन की पहाड़ियों पर
काफल और बाँझ

चन्द्रमा सी चमकती स्मृतियाँ
मन के गहरे कुएँ में लटक गयीं,
जैसे कोई फाँसी के तख़्ते से लटकता—
क्योंकि उसने कोई अपराध कभी नहीं किया...

बिना किये कोई पाप
इतने वर्षों का पश्चात्ताप;
मैं कभी सुनाऊँगा तुम्हें वे स्वप्न
जिन्हें मैं देखना चाहता था,
मगर रोज़ की भाँति आज भी
रात्रि बीत गयी...

मेरी किसी बात की
कोई नहीं क़ीमत,
भीतर झाँकने की
मत माँगो इजाज़त,
जो कुछ हो गया व्यतीत—
उसके अतिरिक्त
कुछ और भी होता है अतीत

चैत्र आते-आते...

मैं हूँ ठीक उन मछलियों की तरह;
ऊपर उठता हूँ, उछलता हूँ, मचलता हूँ
देखता हूँ अनन्त, अपलक, नीला आकाश,
और फिर गिर जाता हूँ ठीक उसी जगह—
जहाँ से मैं अभी अभी उछला था...

नारियल की वन-परम्परा से ढका नीला उत्ताल समुद्र :
मैं बनाता हूँ रेत का महल
आँखों में क़ैद करता हूँ सारे रत्नजड़ित स्वप्न;
मूँद लेता हूँ पलकें तुरन्त
और लेट जाता हूँ लहरों की ध्वनि पर,
धूप के पाल पर, हवाओं की डोंगी पर;
मेरे स्वप्न आँखों में से उड़ेंगे तो नहीं अब?

अब मैं हो रहा हूँ समाप्त;
वसन्त तो चला जायेगा
चैत्र आते आते...

कारण

न होती यदि फूलों में सुगन्ध
तोड़ता उन्हें मोड़ कर अनंग?
न होती दीपक में यदि ज्योतिश्री
जलाता कोई रात रात संग?
तुम न होतीं यदि इतनी रूपवती
समय करता शोषण तुम्हारे यौवन का?
न होते मेरे कण्ठ में यदि गीत
होता मैं पिंजरे में यों व्यतीत?

जो कुछ भी था हम सब में विशेष
उसी ने तो किया जीवन शेष

तुमने वर्षों पूर्व कभी
दिखाया था चन्द्रमा,
अब मैं हो रहा हूँ वृद्ध
लौटाता हूँ तुम्हें वही पूर्णिमा

रुटीन

सोकर उठा, अख़बार पढ़ा
चाय पी, बाथरूम गया
शेव की, कपड़े पहिने
नाश्ता किया, कॉफ़ी पी
गाड़ी से पहुँचा दफ़्तर

फ़ाइलों के ढेर और ट्रंककाल
मुलाक़ाती, शिकायती और डाक
स्टेनोग्राफ़र, चपरासी और लंच
फिर कुछ आराम, काफ़ी काम
दफ़्तर से अभी अभी लौटा...

ऋतु ने अँगड़ाई ली कहीं दूर—
वृन्दावन के कदम्बों पर,
चाँदनी चूमेगी
पलाशों के कपोल अब,
रात को करूँगा फिर
स्वप्नों की प्रतीक्षा...

प्राणों की शतरंज का
एक मुहरा और
यूँ ही पिट गया बिना बात
बिना किसी भी अपराध के बेचारा;
बिना किसी लक्ष्य के ही
जीवन के तूणीर का
एक रूपवान् बाण
यूँ ही निकल गया...

आज फिर व्याकुल मन
आज फिर उदास तन,
मुझे याद नहीं आता
इस सब का कोई कारण

शायद आज फिर पूर्णिमा
जल्दी निकलेगा चन्द्रमा

बजते ढोल

इत्ता बड़ा सर्किट-हाउस
चारों दिशा वन,
यहाँ ठहरा आज मैं एकदम एकाकी,
तन से छूट रहा मन

माली के बछड़े को ले उड़ा बाघ
रात भर रोती रही कपिला गाय,
जलता रहा मेरा हृदय
आक्रोश से घटता प्राणों का भय

बादलों से छिपता निकलता चन्द्रमा;
आँचल से ढकता उघड़ता—
तुम्हारा चिरपरिचित गौरवर्ण मुखड़ा

प्राणों के भीतर
कोई रहा बोल,
दूर उधर बजते पर्वतों के पार
होली के रंगबिरंगे ढोल

टूटी स्मृतियाँ

शुभ्रवर्ण आकाश की अनभ्यस्त स्वर्णकेशी भंगिमा
विराट् पंख फैलाकर उड़ती हुई
चली गयी नील जलधि के पार कभी की;
दमकती दुपहरी का नीचे शिविर
स्वर्ण सा चमकता रहा प्रणय स्थिर;
रुपहली सीढ़ी पर मन्थर गति से—
हँसी के सफ़ेद मोती बिखर गये...

चंचल, उज्ज्वल, नेत्र प्रतीक्षारत
प्राणों का गरुड़ हो गया अवनत

घर हो उठे मुखरित,
जवाकुसुम जैसी रक्तवर्णा कलकल ध्वनि
अपने आप हो गयी बन्दी,
प्रकाश से अँधेरे की ओर
फूलों से भरी धरती...

रत्नगर्भिणी शोभा का मन्तव्य चटुल
जी जुड़ा गया एकदम मंजुल;
सुहासिनी सन्ध्या का मधुरभाषी समर्पण,
सेवादासी पृथ्वी का स्वर-सन्धान—
गीले हो उठे वर्षों से तृषित प्राण

नक्षत्रों की भाँति मेरे चरणों के नीचे से गुज़रता—
रत्नों का उत्कंटित मुक्तिपथ,
जिस पर चला गया—
करता हुआ विस्मय का उद्रेक

नाना वयसों की अलसायी स्मृतियों का रथ...
कौतुकपूर्ण हँसी, इन्द्रियाँ सहसा उत्कंठित,
वे विनिद्र रात्रियाँ, अर्जित सुख से पराजित,
विस्मय का वह सर्वायामी विद्रेक
स्वर्ण की शृंखला में बँधा हममें से प्रत्येक

सौन्दर्य के विलास की वह सीमा असीमित
अक्षत यौवन की वह परिधि अपरिमित,
भीतर से स्वतः उच्छ्वसित उल्लास की हँसी,
हृदय की नाव, सौन्दर्य के ऐश्वर्य की नदी;
परीलोक की राजकन्या की वरयात्रा,
ललाट पर अंकित यौवन का अनुरागरंजित मंगल-टीका

प्राणपण से बन्द किये हृदय के सारे द्वार
संयत नहीं रह पायी पर प्रशस्ति की आह,
आश्वासन, आश्रय, लोलुप दृष्टि
इसी में निभृत हुई सारी सृष्टि,
सान्निध्य के क्षणों के अक्षरों का आलाप उत्ताप
संकुचित कर गया युगल-कल्पना का पाप,
यन्त्रणा से जर्जरित वर्षों का दीर्घ व्यवधान
कुछ नहीं छोड़ा, स्वप्नकुमारी का समूर्ण सन्धान...

विजय के रथ के नीचे सिसकती
यौवन की सारी तिरोहित शक्ति,
कहाँ गयी वह भंगिमा सुहासिनी
पुरातन अग्नि में जलती संयम की योगिनी?
कल्पना का वह विलास, क्षणों का पूर्ण आकर्षण
तटस्थ देह का वह पराजित समर्पण,
लास्यमयी पूर्णिमा, प्रणय का प्रकाश
चन्द्रमा की षोडशी कला का वह पूर्ण पाश

सुन्दर नवयुवकों के रूपान्तरित श्वेतवर्ण हंस
विधाता के रथ के उदासीन पहिये,
गौरांगिनी धूप, मेघाच्छन्न अल्पवयसी सन्ध्या के चरणों के पद्मफूल

स्वप्नों के रत्नजटित जाल, किसके लिए?

वनकन्या का केशविन्यास,
कवियों का विपुल वाग्विलास,
कभी नहीं कर सकता वर्णित
एक व्यक्ति के भी जीवन की कथा;
उसकी पुलकित प्रतीक्षा
या उसके उल्लास की व्यथा...

सुनहरे केशों का उत्तेजित अरण्य
वन में जैसे लग गयी हो आग,
वह कटाक्ष का रहस्यमय सन्धान
अंकशायी ज्योत्स्ना का चंचल अनुराग,
सच्चे प्रेम का पुरातन पाप
हृदय के आकाश पर छोड़ता छाप;
रूप और यौवन का अविच्छिन सम्पर्क
दूर दिगन्तों में फैली वन की परम्परा का अनन्त वितर्क,
अनुरागिनी रमणी का निभृत सान्निध्य,
सन्देह का झंझावात, सुदूर आह्वान का रहस्य...

जर्जर देह, निष्प्रभ नेत्र, थकते चरण
मेरी मनोकामना का टूटा आलोक,
लाल टटके फूलों से लदा—
मेरे अतृप्त प्राणों का फड़फड़ाता कोक

स्वप्न

वसन्त पर तो आ झुका श्रावण
सब कुछ हो गया हरा...

ओफ़, ये तो तोते थे,
धूप का बाण लगते ही—
उड़ गये, उड़ गये...

मेरी भाँति वसन्त के भी
स्वप्न झूठे निकले

अधेड़ चेहरा

आयु की रेखाओं से भरने लगा
मेरा अधेड़, बूढ़ा होता चेहरा;
जैसे किसी ने खींच दी हों पेंसिल से लकीरें
किसी मुड़े तुड़े काग़ज़ पर बेतरतीब
और फिर उसे भींच दिया हो मुट्ठी में पूरी लापरवाही के साथ
दुहरा, तिहरा, गडमड...

मगर मैं अभी भी देखता हूँ, आँखें भर—
ये गौरवर्ण, रूप से परिपूर्ण मुखड़े,
धानों के लहलहाते खेत, धूप का रेशम, बादलों के मृदंग,
लाल लाल फूलों से लदी—
वे डालियाँ सेमल की,
अल्हड़, अज्ञातयौवना
हवा आज फिर डोलती;
वसन्त की साड़ी में सज गयी वन की राजकुमारी आज
हँसते हँसते सन्ध्या यूँ ही बन गयी रात...
ढल गयी वेला,
वर्षा की ऋतु : भाद्रपद की सन्ध्या,
और पावस के इस निशीथ में—
कवि एकदम अकेला...

पहले अँधेरे में एक लौ कहीं दिपती थी,
किसी सुनसान महल में मोमबत्ती ढलती थी,
अब तो दर्पण सरीखी दमकती है ज्योत्स्ना,
सितार की तरंगों पर नृत्य करती उर्वशी सी चाँदनी निर्वसना

एक सच्ची बात

हरी हरी घास पर बिछ गये कचनार के फूल
एकदम निष्पाप;
रंग बिरंगे वस्त्रों में सज गये मेघ
वर्षा की जुड़ गयी बारात

अन्तिम साँस लेती
उधर लेटी है धूप,
वर्षा की छाया में...
दमकता अदम्य रूप,
झील के तट पर साँझ का धुँधलका
आँखें फँस गयीं चाँदनी के पाश में सहसा,
कितना प्यारा लगता...
उड़ती चिड़ियों को देखना
यूँ ही अनायास,
देखे बिना रहा नहीं जाता;
वन की परम्परा में खिल पड़े पलाश...

आकाश के प्रासाद पर
बन्द हो गये बादलों के कपाट,
स्वर्णकेशी सन्ध्या
बन उठी निशीथ विराट,
प्रिय से मिलने चली गयी
दूर, कहीं बहुत दूर,
छोड़कर सारा राजपाट
मैं बन गया सहसा अपना हृदय-हार,
लोककथाओं का बाँका राजकुमार;

जिसे जाना है वहाँ
न जाने कहाँ...

अलसाई रूपसी जैसी
आकांक्षा से उबलती झील,
कहाँ चली गयी ऋतु की लज्जा
छोड़कर सारा शील?

देखकर रात्रि का केश-विन्यास
झूठा पड़ गया कवियों का वाग्विलास,
जीवन की बाज़ी तो अशर्फ़ियों से खेली जाती,
मैंने यह चौपड़ कौड़ियों से क्यूँ खेली?

कुछ भी कहना
अब है बिल्कुल व्यर्थ,
तुम्हें खो देने से पूर्व
जीवन में था ही नहीं कोई अर्थ

प्रतीक्षा

लो, आ गया चिट्ठीरसा,
काग़ज़ों का पुलिन्दा
वर्दी में झुका झुका...

जाने क्या क्या डाल गया
रजिस्टर्ड पैकेट, रसीदें, चैक और अख़बार
रिमाइण्डर, निमन्त्रण-पत्र और मैगज़ीन
पता नहीं क्या क्या...

मैं अभी भी उस पत्र की प्रतीक्षा में
जिसे कभी नहीं आना
कभी भी नहीं...

पूर्णिमा

इतने कम वस्त्रों में
नहीं छुप पाएगा इतना रूप
झाड़ी में जलता किसी
दीपक सा उज्ज्वल फूल;
स्वप्नों की सीमा होता
मात्र अतीत,
ओठों ने पा लिया
बचपन का खोया गीत

दिशाओं पर उतरने लगी—
सन्ध्या,
जैसे सोना चाहती हो
वन की अप्सरा;
सब कुछ सिमट गया
सूर्यास्त के बाद,
बुझने लगे अजस्र रंगों वाले
फूलों के चिराग़

तुम्हें देखते ही
ओठों पर लौट आयी ख़ुशी;
जिस देह कभी नहीं आयी थी बाढ़
ज्वार से लद गयी वही नदी;
कमलों से लदी झील के तट—
यौवन की पवित्र ऋतु
मुझसे लिपट गयी...
तुम्हारा तो अंग अंग

रहा चमक,
कपोलों पर निखरती
हीरों की दमक;
अब गहिरायेगा
सन्ध्या का केश-विन्यास,
वृक्ष छुपा लेंगे
वर्षा का अट्टहास

मैं नहीं पार कर सका कभी
अदम्य कामना की नदी,
यह नहीं है मात्र
मेरी ही व्यथा,
यह तो है हम सबकी
अन्तरंग कथा

नदियाँ फेंकने लगीं
कटाक्षों के बाण,
पैबन्दों से लद गया मेरा जीवन
टूटने लगे प्राण

जिस दिन जनम लिया होगा
तुमने सखि,
उस दिन
पूर्णिमा रही होगी

ताश का क़िला

यदि हम लोग रहते सदा बच्चे
झूठमूठ के झगड़े पर मन के सच्चे,
तो नहीं गिरता लड़खड़ाकर सहसा
झूठे स्वप्नों से बना ताश का यह क़िला

यौवन का दूसरा नाम पाप,
निश्छल साँसों पर संयम का श्राप;
तुम्हारी आँखों में फँस गये मेरे प्राण
नैसर्गिक आकर्षण से कहाँ त्राण?
जीवन का अन्त होता ठीक उसी क्षण
प्राणों में जागता जब प्रणय का प्रथम कण

सब कुछ खो देना नहीं होता प्रणय
यह मात्र कवियों का विश्वास,
सब कुछ पा जाना चाहता हृदय—
तन से नहीं बुझती यौवन की प्यास

यौवन की अग्नि सबसे ज़्यादा तब तपती
ठण्डी हो जाती जब हड्डी की भट्ठी

निराश

कितनी सुन्दर है वह प्रतिमा—
लगता है अभी अभी निकल आयेगी दीवार से सहसा
और शुरू कर देगी नृत्य
मन्दिर के इस वर्षा-संकुल प्रांगण में

मैं चीख़ उठता हूँ कण्ठ भर
तन जाती हैं गले की नसें,
मगर संसार के इस विशाल गुम्बद से—
मुझे नहीं मिलती
कोई भी प्रतिश्रुति

भक् से चमक पड़ी पर्वत पर आग
खिड़कियों के शीशों पर ठहर गयी धुन्ध,
मेरे हृदय पर
जम गयी उदासी

कोई गीत बेचता है, कोई शरीर
मैं हूँ इन सबसे एकदम अलग
मैं बिकना चाहता हूँ स्वयम्;
शरीर, मन, बुद्धि और आत्मा के साथ
पर केवल
तुम्हारे असह्य रूप के कारण

उठने लगा बाज़ार,
घिरने लगा पावस की सन्ध्या का पवित्र अन्धकार;
कवि तो मगर यहीं बैठा रहा निराश
कोई नहीं मेरा ख़रीदार

महानगर

रंगों की फुलझड़ियों से सज उठा नगर
उद्‌भासित, उज्ज्वल, उत्सवमुखर,
तुम्हें देखते देखते देखते
मैं देखने लगा कोई गिर्जाघर...

देखकर तुम्हारी शंखधवल काया
तन पर छा गयी उत्सुक उल्लास की छाया,
लगते ही अनुराग का पीला रंग
अंग अंग से फूट पड़ा अनंग

वे टेढ़ी मेढ़ी तंग बदबूदार गलियाँ
कीड़ों जैसे बिलबिलाते बच्चे,
गन्दी नालियां टूटे फूटे रास्ते, मात्र हड्डियों की देह
दुःख, भय, भूख, वेश्या व देसी दारू,
एक दूसरे पर शराबियों से औंधे पड़े मकान,
और उन सबको जकड़े
अन्धविश्वास व परम्पराओं के जबड़े;
खूँटे से कसकर बँधी
जर्जर जीवन की डोंगी

पीछे छूट गया महानगर का महाश्राप
तुम्हें देखते ही बदल गया मैं अपने आप,
तुम्हारे नयनों का बंसीवट
देता मुझे पूर्णिमा का तट

भाद्रपद का दुर्दान्त अन्धकार
बत्ती जलते ही हो गया उदास;
बुझा दो इस बत्ती को
अपने आप जलेगा आज
पिपासा का पलाश

इच्छा

ओफ़, इतनी भयानक वर्षा
टूटेंगे पहाड़, घायल होंगे समुद्र
भूल जाएँगी नदियाँ
लेना अँगड़ाई...

मुझे नहीं कोई भय
न निराशा, न उदासी;
मेरे मन के भीतर तो
वसन्त आज प्रथम बार खिला...

अँधियारा भयंकर,
वर्षा प्रलयंकर,
दीपक बुझा दो तुम—
आज मैं जलूँगा स्वयम्

क्लब की शाम : फ़ोर्ट विलियम

पियानो पर पड़ रहे गौरवर्ण हाथ
कितने जोड़े नाच रहे एक साथ
रात होती जा रही गहरी
हृदय होता जा रहा भारी

सहसा जल उठीं सारी बत्तियाँ
रात को कर दिया किसी ने सहसा क़त्ल,
दूर उधर कोई खिलखिलाकर हँसा
या किसी के हाथ का गिलास हथेली से छूटा;
हँसने में बिना बात
या टूटने में काँच का गिलास
होता क्या सचमुच कोई अन्तर?

मैं तो सदा का अकेला
मुझे अपना साथ भी नहीं लगता भला,
सोचता हूँ खड़ा खड़ा
रोशनी ज़्यादा अन्धी होती है या अँधेरा?

तुम्हारे पहिनते ही
वस्त्रों ने पा लिया रूप,
पाल के खुलने पर
दमकने लगी सुवर्ण की धूप

यह है वही डांस का हाल 'ऐलाइव'
जहाँ नाचे होंगे वारेन हेस्टिंग्ज़ और क्लाइव,

आज की रात्रि भी उतनी ही जवान
स्त्री, पुरुष, व्हिस्की, गोश्त, सिगरेट और जिन के जाम,
हाथों में कमर, बटन टूटते ब्लाउज़, बैरे और सलाम
मस्त और हसीन साकी, नशा, धुआँ, बीयर, शिकार, पुष्पधन्वा के बाण

मेरा गाँव

बहुत वर्ष बीत गये
जब मैं गया था अपने गाँव,
जहाँ झील में नीलकमल खिलते थे...

खिले होंगे हर वर्षा में वे फूल,
मुरझा गये होंगे
नंगी चाँदनी के आँगन में
न जाने कितनी बार :
कुबड़े आम के पास
सोई होगी चाँदनी नंगी
ठण्डी हवा की चादर तान;
वसन्त डूबा होगा नदी में
न जाने कितनी बार;
ठीक वही नदी—
माँग का सिन्दूर हटा
जहाँ डूबी थी
मेरे यौवन की प्रथम अँगड़ाई
अन्तिम बार

हवा से बजते होंगे
बाँसों के वन,
जहाँ परियाँ डरती थीं
कारण न होने के कारण

कितने अधेड़, बूढ़े और जवान,
नंगे मजूर, फटेहाल किसान,

ख़त्म हो गये होंगे लोककथाओं की भाँति;
खेतों में फैले होंगे–
हरे पीले धान;
ऊपर टँगा होगा आकाश का चँदोबा,
होगी वहीं वह–
पूर्णिमा की आलता लगी वीथी
जिसमें एक दिन सहसा
वर्ष की प्रथम वर्षा से धुला
तुम्हारा मुखड़ा फूल सा खिला...

वर्षान्त की दुपहरी;
बादल बनते समुद्र,
बादल बनते डोंगी,
बादल बनते पाल,
बादल बनते द्वीप;
रात्रि के बाद साफ़ आकाश,
चला जाता था चन्द्रमा–
पंखों वाला घोड़ा...

अँगड़ाई लेते थे स्वप्न,
मन हो जाता था तन,
नदी के दूसरे कूल
क्या खिलते हैं अभी भी वे
मशाल जैसे सेमल के फूल?

पलाशों के रंग भरा तट,
यौवन का वंशीवट,
आँसुओं की बाढ़ से छिप गया सहसा :
एकाकी मौल-श्री
अभी भी खिलती होगी,
अभी भी गहराती होगी निशा
डूबते चन्द्रमा की दिशा

रात्रि का अन्तिम प्रहर,

सोने की पोशाकों में सजे
राजा और रानी,
बूढ़े वृक्षों के झाड़फानूस,
बनते होंगे
फिर एक कहानी :
स्निग्धता–मांसल और प्रगाढ़
ढलती होगी पर्वतों की ओर,
क्षितिज की साँझ के प्रासाद
वन में नाचते होंगे सतरंगे मोर

निर्वसना गोधूलि–
मार्ग में भटकती
वसन्त के साथ-साथ;
लजाती वन की राजकुमारी
खड़ी होगी मेरे लिए?
स्वप्नों की वन्दनवार,
ऋतुओं की युवा मशाल–
जलती होगी मेरे लिए?

कल्पना का कंकण,
अतीत का स्वर्ण;
स्वप्नों से ज़्यादा सुन्दर
कुछ नहीं जीवन में;
ऋतुएँ चली गयीं–
बाण की गति से
खेतों में, वनों में, शरीरों में :

आँसू, हँसी, लज्जा
समर्पण की वर्णहीन भाषा
जो किसी से नहीं बोली गयी कभी
काव्य लिखा गया सारा प्राणों का
उसी भाषा में सदा;
भय और षड्यन्त्र,
शस्त्र व तन्त्र,

इनसे लिखा जाता युद्धों का इतिहास,
वे नहीं बनते कभी
जीवन की नदी;
प्राणों की प्रणय-भाषा
होती आयी मौन ही सदा

वर्षा का अनन्त प्रवाह,
बादलों की गरज,
बिजली की बर्छियाँ,
याद दिलाती हैं उस कचमच धूप की–
जो कभी तराई के वनों में उतरती थी;
जिसे समेटते रहे
पुरुरवा और उर्वशी
दुष्यन्त और शकुन्तला
जीमूतवाहन और मलयवती :
कृष्ण और राधा
कदम्बों की कथा...

अब नहीं लौटेंगे
वे गर्मियों के लम्बे दिन,
अब नहीं मिलेगा
यौवन का पुष्पित फाल्गुन
मैं निकला था जीतने संसार
मैं तो गया अपने ही से हार

क्या मैं लौटूँगा
फिर से कभी अपने गाँव–
वे शिरीष के वन, सप्तपर्ण के स्वप्न?
नहीं, कभी नहीं;
थक गये मेरे पाँव
वैसे भी उजड़ गया–
बचपन का वह अपना गाँव;
कट गये ढाक के वन,
पगडण्डी पर पड़ गया

डामल का कफ़न

बहुत वर्ष बीत गये
जब मैं अपने गाँव गया था,
जिसकी बड़ी झील में उन दिनों
नील कमल खिलता था...

भूल

भाद्रपद के शुक्ल-पक्ष की रात्रि
स्तब्ध, मेघवर्णा, नंगी;
साँझ से ही जुड़ गयी थी वर्षा
बाहर ही खड़ी रही भीगती एकाकी,
फिर खोल लिया उसने निशीथ का छाता
चुपचाप चली गयी वन की दिशा...

मैं न जाने कब तक देखता रहा
वर्षा की ध्वनि का दीपक,
पता नहीं कब आयी और सो गयी मेरे साथ
वर्षा से कातर विरहिणी पूर्णिमा
स्वर्ण-कंकणों से सजे उसके दमकते हाथ

उसकी आँखों में थी नदी
नदी में छिपी थी पाल उड़ाती डोंगी
पाल में छिपा था उधर वाला तट
पूर्णिमा को जाना था वहीं
प्रियतम निकट

हम दोनों भूल गये अपनी राह
मेरे पास सो गयी अज्ञातयौवना, आह...

अनुनय

हृदय के सितार पर
कौन बजाने लगा इतना दर्द भरा गीत?
याद है वह फूल सा खिला दिन
जब तुमने बताई थी मुझे
हृदय को हारने की चिरन्तन रीत?

उसके बाद रेशम की डोरी से
हम दोनों को नचाने लगा कोई जादूगर;
हम तो छूट आये उसके क़िले से सुरंग लगा
मगर जादूगर हो गया पागल;
वह बाद में भी नाचता रहा
ठीक उसी पोशाक में सजा...

बिना ज़ीन के अरबी घोड़े पर सवार
निर्वसना चाँदनी क्यों आती है मेरी दिशा?
मेरे पास कुछ नहीं शेष,
पुराने स्वप्नों की छोटी-सी नदी
कौन करने देगा उसे मंच पर प्रवेश?

ओ चन्द्रमा, ओ वसन्त
मत आओ मेरी दिशा,
ओ चिरपरिचित अनगाये गीत
तू लौट जा उधर की निशा—
जहाँ कोई करता तेरी प्रतीक्षा

ओ आकाश, तू मेरे साथ मत चल
ओ यौवन, तू मेरे साथ मत जल

उत्तर

वह अनन्त, अथाह समुद्र
और उस पर जाते मात्र मैं, नाव और तुम...

करते-करते बात
आधी से ऊपर हो गयी थी रात,
रात्रि तो हो गयी समाप्त
पर बात नहीं...

क्यों भागता है समय पीछे को
क्यों नहीं जाता वक़्त आगे की दिशा
क्या तुम्हारे पास इसका उत्तर है?

यदि होता कोई भी उत्तर तुम्हारे पास
तो मैं यह प्रश्न कभी नहीं पूछता तुमसे
कभी नहीं;
तब मैं तुम्हारे साथ
करता सिर्फ़ मौसम की बात

सच

पतझर से झरेंगे, बूढ़े पत्ते झर झर झर
वसन्त में खिलेंगे लाल ओठों वाले फूल,
श्रावण में वर्षा की श्यामा युवती
देखेगी राह, नदियों के कूल

पूर्णिमा का पूर्ण चन्द्रमा
ये भव्य भवन, मदिरा, रूपवती रमणियाँ
समुद्रों पर लहराते हवाओं के पाल
पर्वतों की नीली नीली श्रेणियाँ

सब करेंगी प्रतीक्षा आज की रात
अधरों से शुरू होगी सारी बात

मुझे उन सबसे ईर्ष्या
जो होंगे मेरे बाद युवा,
सब कवियों ने सोचा होगा यही
सच किसी ने नहीं कहा कभी

सुबह से शाम तक

आज गया घूमने अकेली सड़क के साथ
सद्यःस्नाता, श्वेतवसना, शुभ्रवर्णा;
वापिसी में लौटा धूप का पकड़ हाथ
पीली साड़ी में दमकती कंचनवर्णा

फिर किया नाश्ता
पक्षियों के संग,
फिर सोया खाना खा
तन्वी दुपहरी का पकड़ अंग

सन्ध्या भर सुनता रहा
नक्षत्रों का आलाप
विरह, मिलन, भेंट और विदा;
धीरे धीरे उतर आयी बाँहों में रात

फिर निकल पड़ी चाँदनी की नाव
नाचता रहा, नाचता रहा, खोल कर मरकत पाल,
फिर आ गयी नींद
सो गया शरीर,
मैं जागता रहा स्वप्नों के साथ
उत्सुक, आकुल, अधीर

फिर न जाने कब आ गयी वर्षा
मेरे साथ तुम्हें भी थी उसी की प्रतीक्षा

अभिनेता

बातों का खो गया सारा अर्थ
शेष रह गयी मात्र उनकी आवाज़;
आज का दिन नाव सा चला गया
न कोई माँझी, न कोई पाल

शब्दों की केंचुल ने ढक लिया मेरा प्रश्न,
और तुम्हारा उत्तर–
तुम्हारे ही साथ सीढ़ियों से उतर गया;
कविता में कौन पकड़ पाया सत्य,
कवि स्वयम् अपनी व्याख्या

तुम कुछ भी कर लो मगर
किसी का हृदय कभी नहीं छीना जा सकता,
जीवन का युद्ध रहा सदा दुखान्त
इसमें कभी कोई नहीं जीता,
न युद्ध, न प्रेम
किसी का कोई अर्थ कहीं नहीं होता...

मेरा न कोई वर्तमान, न कोई भविष्य
फिर भी ज़रूरी है स्वप्नों का गीत
मत छीनो मुझसे
मेरा कलपता अतीत

बातों की फुलझड़ियों से जला लें साँझ,
द्वार पर भीड़ जुड़ी
मैं ठहरा जाने वाला अतिथि,

मैं रहा एक ऐसा अभिनेता
जिसे रंगमंच से निकलना नहीं आता,
निकल भी जाता तो बोलता क्या—
नाटककार ने कहीं नहीं लिखा...

पराजित

प्रतीक्षा की साँस से एकदम बुझती
तुम थीं रूप की मृदुल मोमबत्ती,
बुझाने के बाद मात्र मैं बचता
हो जाता आपाद्मस्तक प्रतीक्षा,
तुमसे मिलने के बाद मैंने वह किया
जिसको मैं तब तक जानता ही नहीं था

तुम निकलीं प्रार्थना का अन्तिम गीत
मैं था तुम्हारी सन्ध्या का अन्तिम दीप,
तुम थीं सृष्टि का अन्तिम रहस्य
मैं था तुमसे बिछुड़ने का भय,
तुम्हारी हँसी थी जादू का चिराग़
आज तक शेष मेरी देह पर दाग़...

जीत नहीं पाया मुझे रूप या प्यार
मैं तो अपने आप ही से युद्ध में गया हार

धूप

जब तुम हो उठतीं इतनी रूपवती
सहसा लगने लगतीं सम्राट् हर्ष की मलयवती,
तुम भी क्या करती थीं प्रतीक्षा
तुम्हें कहे सुन्दर कोई कवि युवा?
तुम एक बँधी जिल्द, कविता की
जो किसी ने कभी भी नहीं पढ़ी...

प्राप्त करने पर तुम्हें होती बड़ी ख़ुशी
खो भी गयी हो, बात फिर भी है वहीं,
क्यों तुम रहीं सदा बन्धनों में सुरक्षित
गर्द ही तो जमती रह गयी रूप और यौवन पर,
वसन्त की रात्रियाँ गुज़र जाने के बाद
तुम्हारी लज्जित हँसी, मुझको अब तक याद

दीपक की भाँति मेरा यौवन जला
क्या कभी तुम्हें इसका पता चला?
सोती रहीं तुम, जागता रहा रूप
वर्षा के बाद की कसमसाती धूप

मेरे जीवन में...

कितने वसन्त आये और चले गये,
कितने ही मेले जुड़े और उजड़ गये,
पावस की कितनी सन्ध्याएँ
मेरे ही भीतर बरस गयीं;
पूर्णिमा की पत्तियाँ
पतझर में झर गयीं कहीं...

देश-विदेशों में बदल गयी सरकार,
शस्त्रों की होड़, सत्ताधारियों के मजमे
लगते रहे उसी तरह लगातार :
रेलें दौड़ती रहीं नदियों की छाती पर
यात्राएँ, परदेस, स्मृतियाँ, स्वप्न और आँसू—
धीरे-धीरे ढलते रहे कपोलों पर

मुवक्किल लड़ते रहे झूठे सच्चे मुक़दमे
अदालत जाते रहे जज साहिब
कहीं कोई घाट पर जला
किसी ने पहिना कहीं परिणय का परिधान
कहीं पड़ा अकाल—किसी दूर देश—
कहीं किसी ने कर ली आत्महत्या चुपचाप
कहीं होता रहा भयानक बर्बर युद्ध
मैं सरकारी दुष्यन्त होता गया वृद्ध

कोई शकुन्तला नहीं आयी पकड़ने मेरी बाँह
कब से देखता रहा मैं उसकी राह,
छोड़कर सारी लज्जा, ग्लानि और भय

मैं तुम्हें अब भी पुकारता हूँ निःसंशय,
इतने वर्षों का भारी भार
बदल गया होगा तुम्हारे यौवन का तार...

कितना कुछ घट गया दुनिया में
कुछ नहीं बदला मेरे जीवन में...

पश्चात्ताप

तुम्हारी देह पर फूट पड़े पलाश
मैं हो उठा सहसा पुलकित-गात;
मरकतवर्णी गोधूलि
तुमने सौन्दर्य की सीमा छू ली

पर मैं कैसे जा सकता तुम्हारे पास
यात्रा में फुफकारते समन्दर सात,
जब भी आता तुम्हारा विचार
तन करने लगता मन्त्रोच्चार

यूँ ही बीत गया मेरा जीवन
मुझे कभी आया ही नहीं यौवन

नाटक

समाप्त हो गया नाटक
रंगबिरंगे पर्दे, वेशभूषा चटक;
सब चले गये घर अपने
विदूषक, खलनायक, नटी और नट

सब कुछ था नाटक में
थी नहीं मात्र कोई कहानी,
न कोई बना राज़ा,
न सजी कोई रानी

नहीं बचा कोई तट
जहाँ रोकूँ यह पुरानी नाव,
नहीं बची कोई दिशा
जहाँ खोलूँ द्वार

नहीं शेष कोई आकांक्षा
अब कौन करेगा आघात,
खो चुका हूँ नेत्र
अब क्या लगेगी रात?

लोककथा

इस छोटे से स्टेशन से चली गयी अन्तिम गाड़ी
वर्षा ने पहिन ली नीलवर्णा साड़ी

मत सुनाओ आज मुझे अपनी व्यथा
आज मैं सुनूँगा कोई लोककथा
लोककथाओं में ही होती है वह कहानी
जिसमें शहज़ादे को मिलती परियों की रानी

और जब तक मैं सुनाऊँगा अपनी व्यथा
तब तक तो रहेंगे ही वे दोनों सुख से सदा

निराशा

मेरा अधेड़ जीवन
न जाने कितनों के साथ अनायास जुड़ा,
कितनों के साथ भीतर भीतर बुना गया,
याद आता है फिर भी बस एक ही मुखड़ा

बड़े-बड़े नयनों में बन्दी वह चाह
जिस तक पहुँचने की नहीं कोई राह,
मैंने यौवन भर ऐसे तट पर प्रतीक्षा की
जहाँ से कहीं के लिए कोई नाव नहीं खुलती थी,
प्रारम्भ होने से प्रथम समाप्त हो गयी बात
सन्ध्या घिरने से पूर्व आ गयी रात

प्रतीक्षाओं की परिकाष्ठा
प्राणों की चिता,
मगर कहीं होते होंगे ऐसे भी प्रेमी
जिन्हें कभी नहीं मिलती होगी विदा

वसन्त

वर्षा, वर्षा, भयंकर वर्षा
हवा, हवा, हवा...

आज आयेगी प्रलय
सृष्टि का अन्तिम सत्य;
इतना अन्धा तूफ़ान
किसी राजकुमारी के कहीं निकले प्राण;
करने के लिए अपना बचाव,
मैंने बनायी नहीं कोई नाव...

इस वर्ष वसन्त बहुत जल्दी गुज़र गया...

दुखान्त

बचपन की कहानियाँ
यौवन का अदम्य रूप
वर्षा के बाद खिली—
परियों के पंखों जैसी धूप

सब कुछ हो जाता समाप्त
देह की अन्तिम यात्रा नदी के तट तक प्राप्त,
मगर वन-परम्परा का अनदेखा वसन्त
कार्तिक के कंकणों से सजी पूर्णिमा
वर्षान्त के बाद के बादल
सब रहेंगे इतने ही रूपवान्, इतने ही युवा;
कितना अजीब यह जादू का खेल
न रहेंगे दर्शक
न रहेगा जादूगर
मगर खेल है कि चलता रहेगा
इसी भाँति मंच पर सदा...

दिप दिप जलती प्रणय की व्यथा
कितनी दुखान्त प्राणों की कथा

मेला

नदी के तट से लौट आयी सन्ध्या,
पहले थी चंचल, अब हो गयी मुग्धा;
साँझ कभी नहीं होती कल जैसी
सन्ध्या होती हर रोज़ एक नयी युवती;
मैंने उसे चूमा और कसना चाहा बाँहों में
मगर वह तो फिर लौट गयी वनों में...

जीवन ठीक सदा उस मेले की भाँति
जो हर वर्ष लगता था हल्दौर के क़स्बे में
किसी राजा के पुराने महल के निकट
तेल की जलेबियाँ, बिन्दियाँ चटक;
रंगबिरंगे खिलौने, अरवी और पराँठे
ख़रीदते थे ग़रीब लोग गाँवों के;
कोई ऐसा मेला कभी नहीं जुड़ा
जो कुछ दिन बाद नहीं उजड़ा...

प्रत्येक प्रश्न का रूप होता सदा हँसी
उत्तर होते आये सदा आँसू,
प्रत्येक प्रश्न रहता सदा उल्लास
उत्तर रहता मगर सदा उदास

हथेलियों में कुछ नहीं है रेत के सिवा;
मुट्ठी खुली रखो या बन्द
इसमें कुछ नहीं रुकता...

प्रश्न

जिन चन्द सिक्कों के लिए शुरू किया था जीवन
ठीक उन्हीं चन्द सिक्कों पर वह हो गया समाप्त
जहाँ से शुरू की थी यात्रा कभी—
ठीक उसी सराय पर वह ख़त्म हुई

कहाँ गये वे कदम्बों के कुंज
यमुनातट, बंशीवट, राधाकृष्ण, पीतमुकुट?
मुझे तो कुछ नहीं मिला यात्रा पर
मुझे तो मिले मात्र उजड़े हुए स्वप्नों के गाँव
बीमारी, ग़रीबी, झुर्रीदार चेहरे
क्या मात्र यही सच था जीवन में?
कोई नहीं मिला ऐसा
जिसे देखकर नाचती ख़ुशी,
फुलझड़ी सी बरस सकती
किसी की हँसी...

मुझे क्यों मिली इतनी सज़ा
क्या था मेरा अपराध?
तुममें से कोई न कोई तो ज़रूर
जानता होगा मेरा राज़

ट्रैजेडी

पहले आया वसन्त
खुल पड़ी नवफ़ाल्गुनी हवा,
फिर आये चैत्र व वैशाख
पीली हो उठी दिशा के बाद दिशा,
उसके बाद कालिदास का आषाढ़
यक्ष को याद आया यक्षिणी का प्यार,
फिर चुकी भाद्रपद की वर्षा-संकुल साँझ
उसके बाद पूर्णिमा का शरद-शुभ्र चाँद :
सब कुछ चलता रहा इसी प्रकार
मैं देखता रहा प्राणों का ऋतुसंहार

मेरे सामने बहती नदी—
विस्तृत वक्ष, लहरों से लदी,
मैंने जाना चाहा पूर्व की ओर
जिधर बन्दी पड़े स्वर्णजटित भोर,
मैं जाना चाहता था उत्तर दिशा
पर्वतों की श्रेणियाँ, रूपवती अप्सरा,
वहाँ से जाता मैं पश्चिम-देश
जहाँ उतारता सूरज सम्राट् का वेश,
मैं जाना चाहता था दक्षिण दिशा
रत्नों की राजकुमारी, भयभीत निशा...

मगर मैं नहीं जा पाया कहीं,
मैं हो गया बूढ़ा यहीं;

मेरी नाव के पाल कभी नहीं खुले,
मेरी पतवार रही बिना हिले

इसी नाव पर मैंने पाया जन्म,
इसी नाव पर फींचा अपना बचपन,
इसी नाव पर तना यौवन का पाल,
इसी नाव पर ढीली हुई खाल

मैं कहीं नहीं गया जीवन भर,
यही पीला पाल, डोंगी जर्जर,
देखता रहा जो जीते रहे वहाँ
वहाँ से भी और आगे जाने कहाँ...

मेरी यात्रा निकली मात्र पड़ाव
तट से बाँध दी थी किसी ने नाव

दिल्ली

देखते ही लाल क़िले की रक्त-प्राचीर
फ़ीरोज़शाह कोटले की टूटी दीवार
मेरा वर्तमान मुझसे छूट गया
गिर गया नीचे पुराने लबादे की तरह,
भविष्य छिप गया शाही जेलों के तहख़ानों में
चकनाचूर हो गया सारा परिचित परिवेश;
जिसे मैंने समझा था संगमरमर
वह निकला मात्र काग़ज़ की लुगदी

मैं नकली था
झूठी सूरत और झूठे कपड़े
सब थे परायों के,
मुस्कान किसी की थी, हँसी किसी की और आँसू थे किसी और के,
सिर्फ़ आँखें मेरी थीं,
और हाँ, वे बाँहें भी ज़रूर मेरी अपनी थीं
जिन्हें उस रूपसी ने पकड़ लिया सहसा :
इसके बाद हम दोनों चलते गये बाग़ों में—
लाल फूलों से लदे हरे-हरे विस्तृत लान;
गिर रही थीं पत्तियाँ
सूर्यास्त हो रहा था मस्जिदों के पीछे,
डूबता सूरज बाँट रहा था सोने की दस्तावेज़
जैसे कोई बहुत बड़ा अमीर
अपनी दौलत बाँटता है मरते हुए...

दीवारों पर पर्दे पड़े थे बेशक़ीमती मख़मल के,
उन पर अंकित थे

सोने के राजचिह्न,
धूल से लदे थे शताब्दियों के झाड़फानूस
जो न जाने कब से नहीं जले थे,
आबनूस की हड्डियों के क़ीमती फ़र्नीचर,
तेज़ जलती रक्त की मशाल

मेरे लिए कुछ नहीं है दिल्ली
इतिहास की लाश के सिवा,
मैं अपनी मर्ज़ी से लेट गया एक मक़बरे में
और खुद को भूल गया,
मेरी ज़िन्दगी अब बन गयी है एक बोझ
जो रोज़ होता जाता और भी भारी;
मैं लेटना चाहता था वहाँ—
जहाँ से फिर कोई नहीं निकलता...

उस रूपवती ने मेरे हाथ खींच लिये
और उसके बाद हम दोनों गुज़रते गये
नाचते और गाते हुए प्रेमी युगलों के बीच से;
यह एक पाप था
और मैं यह जानता था
पर फिर भी मुझे यही करना था,
उस रूपवती ने मुझ में उड़ेल दी शराब
मेरा जीवन खाली था,
हम दोनों एक दूसरे के सिवा
नहीं रह सकते थे और ज़्यादा...

हम सब हैं जीवन में असफल
जितनी जल्दी पहिचान लें यह सत्य
उतना ही श्रेयस्कर,
मैं जानबूझकर गया था अँधेरे में
खोजने प्रकाश,
मगर वहाँ सारे सूरमा थे चुप और मक्कार,
वे किसी से भी बातें नहीं करते थे,
उन्होंने पहले मेरे आँसू पोंछे

और फिर मेरी अशर्फ़ियाँ मुझसे छीन लीं
खोंस लीं पगड़ियों में अपनी;
शहंशाह शाहआलम को कर दिया अन्धा
रुहेले गुलामक़ादिर ने,
और फिर ठीक मेरे सामने—
तख़्ते-ताऊस पर उकड़ूँ बैठ
उसने हुक़्क़ा पिया...

वह युवती थी अब मुझसे एकदम अलग
मगर मैं उससे लिपटा था
जैसे मोमबत्ती से लिपटती है आग;
यह एक रहस्य था
जिसे मैं बाद में समझा :
इस जीवन में असफल होने के बाद
मैं कोई दूसरा बनना चाहता था,
चाहे वह कोई भी होता...

युद्ध और शान्ति का आपस में समझौता
होता सब से बड़ा ख़तरा;
मैं घबराकर घुस गया एक गिर्जाघर में
भय पिघलने लगा मोमबत्तियों के साथ,
समाप्त हो गयी दृष्टि,
ईसा सूली पर दुबारा टँगा;
मगर वह ईसा नहीं था—
वह था मेरा अन्तिम विश्वास;
सम्राट् फ़र्रूख़सियर की अन्तिम आशा
जिसे सैयद भाइयों ने पहले बनाया शहंशाह
फिर किया अन्धा और फिर क़त्ल;
मैं अब भयभीत था भय से,
मैं ईसा से बचना चाहता था

वे शानदार सूट और टाइयों में सजे—
पाँचसितारा होटलों में नाचते
मात्र प्रेत थे

पुराने सुलतानों के,
क़त्ले-आम का हुकुम जारी करता नादिरशाह,
दीवाने ख़ास में मुजरिम के कठघरे में खड़ा 'ज़फ़र' बहादुरशाह;
मैं कवि होने के कारण
उस मुक़दमे का था आख़िरी गवाह
जिसमें कम्पनी की सरकार बहादुर ने
उतारी थी अपनी आख़िरी नक़ाब

उस सुन्दर अप्सरा ने मुझे फिर प्यार से निहारा
अपनी देह मुझे सौंपनी चाही
मगर तब तक मैं
चला गया था बहुत आगे;
वह मेरे पीछे दौड़ी;
जैसे ही उसने मेरा पकड़ा हाथ
मेरा शरीर मुझ पर से उतर गया;
वर्षों का खोखलापन
चमक उठा आँखों में,
और बाद में सब कुछ छिपाने के लिए
मैंने लगाया एक नकली क़हक़हा...

वे सारे क़िले, मीनार और मक़बरे
बाज़ार, मोटरें, हँसती युवतियाँ
मेरी आँखों में नहीं समा पायीं,
मेरी आँखें छोटी थीं
और शाही दिल्ली थी बहुत बड़ी...

जीवन का ही दूसरा पहलू है मृत्यु,
मृत्यु—जो है जीवन का एकमात्र अन्तिम सत्य :
इन सब बादशाहों ने—
सिक्कों से ख़रीदनी चाही थीं चन्द साँसें
जो तुरन्त फिर बिक गयीं वापिस,
शहज़ादे चले गये जल्लाद के पास;
हम सब बोलते रहे मात्र उतना सत्य
जितना हमारे फ़ायदे में था;

हम ठग थे, हम थे जादूगर
हम सब थे, वही पुराने सुलतान;
जो लोग मुझे समझते थे दोस्त
वे थे मुझसे अनजान

अब वह गौरवर्णा रमणी
सट गयी मेरी छाती से
और वह सितार की तरह बजने लगी,
मगर जो धुन थी–
वह न मेरी थी न उसकी,
उसने पहिन लिया नंगेपन का लौहकवच
उससे मज़बूत और क्या वस्त्र हो सकता था?
उसकी साँसें अब मेरी थीं
मैंने देखा दसों दिशा–
वे सब मारे जा चुके थे
जिन्हें मेरी मृत्यु पर शोक होना था...

उसकी आँखों के बादलों ने
ढक लिया मेरी ख़ुशी का आकाश,
उसने पहिन लिये दस्ताने
और छिपा लिया अपने वक्षों में मुझे
अपनी बाँहों से कसकर;
मुझे याद आ गये सहसा
ज़ंज़ीरों में जकड़े शहज़ादे
मुर्दे हो उठे ज़िन्दा;
एक साथ जल उठीं
शानदार होटलों की बत्तियाँ,
नाचने लगीं वारांगनाएँ
बिना टाँगों के,
वे सब चाहते थे मुझे क्षमा करना
उन पापों के लिए–
जो मैंने कभी किये ही नहीं थे,
इतना ज़्यादा सुख मिला सहसा
कि मैं दुखी हो उठा...

टूट गयीं शताब्दियों की पक्की जिल्दें
रक्त और षड्यन्त्र से बँधीं :
मुक्त हो गया इतिहास—
दौड़ने लगे घोड़े
हाथियों पर चढ़ गये सुलतान
शक, हूण, मंगोल व कुषाण,
शहंशाह और वज़ीर
हसीन बेग़में और खवास
जल्लाद और शराब

अब मैं फँस गया था उनके फन्दे में;
मैं इतनी दूर चला गया था पीछे—
कि मैं अब लौट नहीं सकता था :
मृत्यु नहीं हुई जीवित,
जीवन ही हो गया मुर्दा,
वे सब उन्हीं के अंग थे कटे हुए—
जो उन्होंने मेरे समझ
गट्ठर में बाँध लिये :
आओ, हम फिर हो जायें ज़िन्दा
ताकि फिर से मर सकें दुबारा,
सुलतान के बाद सुलतान
फ़रमान के बाद फ़रमान
काज़ी और अमीर
लौंडी और जागीर

जो मैं शेष बचा
वह कोई दूसरा था;
मशाल मेरी थी
महल उनका था...

फिर न मैं बचा और न वे
हम सब मिलकर कोई तीसरा बने,
जो ज़्यादा समझदार थे—

उन्होंने सन्धि की,
और जो ज़्यादा बहादुर थे
वे मारे गये जंग के मैदानों में;
मगर हम सबके मरने पर
वह तीसरा हो गया ज़िन्दा...

वह तीसरा भी एक दिन मरेगा
और उसके बच्चे भी आयेंगे
इन भव्य इमारतों को देखने के लिए
बाहर खिड़की पर ख़रीद कर टिकट;
बन्दर नचाएँगे मदारी
साँप दिखलाएगा सपेरा
जादू दिखाएगा वक़्त का बाज़ीगर

और पुराने क़िलों के परकोटों पर इतिहास
हँसता रहेगा अपनी पराजय का अट्टहास

एक पुरानी बात

यह वसन्त है या श्मशान
जिसमें जल रहा हूँ मैं अपने सामने
साथ बाँधकर अपनी
आशा, प्रतीक्षा और हँसी;
अब तुम आओ या आये मृत्यु
मैं बैठा सबके लिए तैयार,
अब मत पहिनाओ मुझे
चन्द्रमा का हीरक-हार

किसी शिकारी का तीखा बाण लगी
पंखों को अन्तिम बार फड़फड़ाती
एक पीली चिड़िया—
मेरे ऊपर से अभी अभी उड़ी;
मैं अभी भी वही हूँ वही
वर्षों पहले—
पीले धानों के बीच जाती सुनसान पगडण्डी पर
जिसे तुमने देखा था
नयन भर कभी

प्रतिमाएँ

शरद् ऋतु की नदी जैसी मंजुल हँसी,
श्याम-कल्याण के आलाप सा आकाश,
गीतों का रूप धारण करती पाषाण-प्रतिमाएँ–
जो वर्षा में लगती हैं इतनी परिपूर्ण
जैसे देखा हो मैंने उन्हें जीवन में प्रथम बार

काश, इन क्षणों को मैं
ओवरकोट की नयी जेबों में डाल सकता,
ठीक उसी भाँति–
जैसे रूप की नदी ने देखीं मेरी अनुराग-भरी आँखें
और उन्हें छुपा लिया लहरों की पाँखों में...

एकाकी

वृक्षों ने गिरा लिए लाल पीले फूल
शाल, शीशम, सेमल और शिरीष
किसी के पास कुछ नहीं बचा;
वन के रक्त से पतझर रँगा गया
मैंने समझा, वसन्त आया...

आँगन में जल उठे ऋतु के दीप
और मैं बुझ गया सहसा;
खड़खड़ाने लगा बूढ़े पत्रों की भाँति
ग्रीष्म की आ गयी एकदम आँधी,
मैं करता हूँ प्राण भर प्रतीक्षा
आज आयेगी वर्ष की प्रथम वर्षा...

अब कोई पागल बादलों में हँसेगा
और बुलाएगा मुझे अपने पास,
ताकि मैं भी हँस सकूँ उसी की तरह;
उसे पता नहीं अपने वक्ष में छुपे श्रावण का
जो मेरे पहुँचते ही पास
फिर से करने लगेगा विलाप

धूप छिपी पत्रों में
पत्रों में छिपी सन्ध्या,
जो कुछ क्षणों के लिए
बैठी थी मेरे पास;
इस वक़्त मैं फिर हूँ एकाकी
जीवन में कुछ नहीं बाक़ी

अभागा जुआरी

सामने जो दीखती है वह सफ़ेद मज़ार
उसमें कभी एक मुर्दा था
और वह मुर्दा कभी ज़िन्दा था
गौरवर्ण, इष्ट-पुष्ट और हँसमुख :
मुर्दा बनने से पूर्व—
वह तुम्हारी ही भाँति हँसता था
नाचता था
प्यार करता था...

मज़ार में छुप गया वह रूपवान् युवा,
तट में छिप गयी नदी,
फूल में छुप गया निशीथ का वसन्त,
समुद्र में डूब गया चन्द्रमा का लाल थाल,
पाजेब में छिपते हैं जैसे नृत्य
वीणा में छिपते हैं जैसे गीत...

मेरी टाँगें हैं एकदम साबुत
मगर मैं चल नहीं सकता,
खिड़की के बाहर धूप में उड़ता संसार
श्वेत हंसों की भाँति—फड़फड़ाता पंख—
मैं कहीं नहीं जा सकता;
उन सबको मात्र टुकुर टुकुर ताकता रहता

मैं उन जुआरियों में से निकला
जो बिना दाँव लगाये ही सब कुछ हार गया...

उत्तर

रूप से वन के वन सहसा धधक पड़े
मैंने देख लिया तुम्हें—
रत्नगन्धी फूल बीनते हुए,
कितना समय बीत गया
पता ही नहीं चला,
कुछ भी तो नहीं बोलीं तुम
मैं भी बस, देखता ही रहा...

गौरवर्ण देह पर लाल साड़ी धारण कर
बालों में वन के फूल, आँखों में चाह खोंस
तुम्हारे शरीर का तो
बजने लगा सितार,
किसी व्यथा ने मेरी
फिर भरी कराह

बहुत वर्ष बीत गये
तभी की आयी याद,
फूल तोड़ती, बतियाती,
दौड़ती थीं मेरे साथ,
बाँसों के वन
नदी का सूना तट,
बचपन का वृन्दावन
यौवन का वंशीवट

जीवन न जाने
किस किस के साथ जुड़ा,

कितने चौराहों पर
कितनों के साथ मुड़ा,
कवि ने कहीं ठीक ही कहा
जीवन अपना किसी का नहीं रहा...

वर्षा आयेगी आज
हवा से बुझ गया दीपक,
फाल्गुन की रात्रि का प्रश्न
अन्धकार का उत्तर

माँडू

मैंने देखे कितने ही क़िले
यात्राओं पर, दौरों पर अनेक बार मिले,
सबमें वही खन्दक और खाई
बुर्जियों, परकोटों पर जमी काल की काई,
दीवारों में बने तोपों के दहाने
मैं वहाँ गया आज पिछले पृष्ठ गिनने,
जाना था कहीं, पहुँच गया वहाँ, आह,
मेरा सारा जीवन एक खोयी हुई राह...

मेघों से आच्छादित पूर्ण आकाश
मेरे पीछे करता इतिहास अट्टहास,
क़िले के गलियारों में रात को घूमती–
बाजबहादुर की बाँह पकड़े रानी रूपमती

राजस्थान से गुज़रते हुए...

घावों से भरे वे पुराने क़िले,
आँखों में उलझी वे इतिहास की आँखें,
चारों दिशा बिखरे पड़े—
षड्यन्त्र, विश्वासघात, साहस, रूप, रक्त और रत्नजटित मुखड़े

सहसा कोई अन्तःपुर में घुस गया गुप्त मार्ग के द्वारा—
ठहर गया सलमों-सितारों-से चमकता लहँगा,
मूर्च्छित हो गयी मुखरित सारंगी,
वहीं के वहीं हवाओं में ठहर गये शराब के जाम,
कोई आकर झुकाने लगा अर्थभरी सलाम;
फट गया सहसा कालीनों के नीचे पत्थर का धरातल
दुर्भिक्ष में टूटता झील का अन्तस्तल

चाँदी की दीवट,
स्वर्ण के दीपक,
इत्रों से जलती वे महलों की मशाल
यौवन के सरोवर में खिली रूप की ज्वाल,
सती, जौहर, केसरिया, दुकूल, रक्त का गुलाल :
जैसे आया हो वर्षा में वसन्त
न कोई अथ, न कोई अन्त...

पीड़ा का मचलता सूखा सैलाब
पसरा हुआ मरघट का सन्नाटा,
यहाँ से गुज़रता गया—
शताब्दियों तक रानी पद्मिनी का रथ,
रेगिस्तान के उड़ते बीहड़ में

किसने नहीं खोया अपना पथ?

कक्ष के गवाक्ष से चमकती
पावस से धुली रजत-ज्योत्स्ना की निशीथ,
दूर दूर तक सब दिशाओं में चुपचाप पड़ा मौन;
अन्धकार में घूमते छायाओं के प्रेत,
पलकों में बोझिल प्रणय का पराग,
मृदुल चुम्बनों द्वारा पोंछा गया चन्दन का अंगराग,
हीरक-जटित कर्ण-फूल
झाँकते मदिरा में

वयसन्धि आते ही
अंग अंग पलाश खिले,
यौवन की मशाल
जलती रही बिना हिले,
वस्त्रों से नहीं सिमटा
लहकता वह अदम्य रूप,
सौन्दर्य की अग्नि में जगमगाते
कीमती झाड़फानूस

डाक गाड़ी भाग रही अविकल
कल पहुँचेगी बाम्बे-सेण्ट्रल;
चारों दिशा बिखरी रूप, साहस और रक्त की व्यथा—
यही शेष राजस्थान की कथा...

इंजन दे रहा है सीटी,
मैं देखता हूँ उन्हें—
जो अभी भी प्रज्वलित सुनसान मन्दिर में दीपक सी,
रूप की पावक नयनों में धँसी :
स्टेशन पर बदले जा रहे
गार्ड, ड्राइवर, खल्लासी

उधर वनों में सोती है रानी
जिसका जीवन अब मृत्यु की कहानी,

जो कभी खेलती थी हीरे मोती का खेल
उसके तंद्रिल स्वप्नों में इतिहास देता मुझे धकेल,
मगर तोड़ती हुई सम्पुंजित संवेदना की समाधि–
दौड़ती जा रही यह फ्रंटियर मेल
अतृप्त अज्ञात-यौवना गति...

पीछे छूट रहा रानी का रूप से ढका प्यार
आगे बढ़ता सुलतान, सहमा दरबार...

आश्वासन

नदी में डूब गयी
चाँदनी की नाव,
पलाशों में दहक उठे
कवि के पाँव

बिछुड़ गये एक एक कर
सारे पुराने मित्र,
अब नहीं आते याद
चिरपरिचित प्रणय-चित्र

अब कुछ पता नहीं
कब आयेगा अन्त,
पतझर के बाद आयेगा अवश्य
चिर-युवा वसन्त

नाच

मैं पहिचानता हूँ वसन्त की राह
घावों जैसे रक्तवर्ण फूलों की कराह

मैं सचमुच जानता वह एकाकी पथ
जिस पर से गुज़रेगा वसन्त का रथ,
हालाँकि कभी-कभी वह होता इतना उदास
गुज़र जाता पहिने पतझर का लिबास

फिर हम हँसते, बतियाते, नाचेंगे–
आकाश के नीले चन्दोबे के तले;
दीखता वह बेहद रूपवान् राजकुमार
हर बार लगता, हम आज प्रथम बार मिले

चाँदनी में नाचते हम चाँदी का नाच
धूप में नाचते हम कंचन का नाच
और जब घिर जाते वर्षा से अनायास
हम दोनों फिर नाचते रत्नजड़ित नाच

वसन्त मिलता मुझे कितना भी उदास
कभी नहीं छोड़ता मेरा दायाँ हाथ,
फूलों के रूमाल हिला कर देता है विदा
लज्जा से रँग जातीं सारी दिशा

आओ प्रिये, मेरे साथ
हाथ में डाले हाथ,
केवल मैं पहिचानता वसन्त का वेश
केवल मैं जानता फूलों का देश

विश्वास

मैं होता जा रहा हूँ वृद्ध
पर मुझे पूरा विश्वास,
सारा आँगन झाँकने के बाद
चाँद लौटेगा
मेरे ही पास

जर्जर हड्डियों की झुर्रीदार डोंगी पर—
फिर से झूमेगा
धूप का पीला पाल,
और मैं एकाकी
जाऊँगा पतवार के बिना
नीले समुद्रों के वक्ष पर
जहाँ मिलेगा मुझे यौवन का राजकुमार

तट पर खड़ी होगी
मूँगे की साड़ी पहिने
स्वप्नों की हीरक परी,
उसको पाने के बाद ही
लौटूँगा इस तट पर कभी...

प्रश्न

नये पल्लव निकलने और पीले पत्ते झड़ने का
निश्चित है समय,
पर आदमी के जन्म व मृत्यु का
कुछ भी नहीं तय;
मेरी युवावस्था
दुष्यन्त से उपेक्षिता शकुन्तला

प्राणों की धड़कन का विस्तृत आकाश,
दसों दिशा बिखरा पूर्णिमा का उज्ज्वल उल्लास,
यह बात अलग रही—
कि मैं हूँ आज भी उदास

सारी ग़रीबी, पाप, अपराध और अत्याचार
फेंकना चाहता हूँ कहीं दूर;
है कोई दूसरा संसार?

विवश

तर्क की नदी में
धोते रहे ज्ञान का सुवर्ण
हाथ कुछ नहीं आया;
अन्त में यही जाना
होगा वही जो होना बदा

राष्ट्राध्यक्ष, राजदूत, न्यायाधीश, सचिव, शोभायात्रा
मन्त्री, सेनापति, सजा कमरा
इतनी शक्ति, ऐश्वर्य, काग़ज़ पत्तर;
जो कुछ नहीं जाना गया
बस, वही ईश्वर

यह था आम आदमी का दर्शन
जिसने नहीं पढ़ा न्याय, सांख्य, तर्क और वेदान्त
जो जोतता खेत, खींचता रिक्शा
चौराहे पर दुपहरी में गाँठता जूता
जो तोड़ता पत्थर
उसी इलाहाबाद के पथ पर

पर तुम तो हो इतने ज्ञानी
बैरिस्टर, अधिकारी, नेता, विज्ञानी,
सच बोलो सच—
क्या नहीं आते ऐसे क्षण जीवन में
विश्वास करते तुम भी इसी फूहड़ दर्शन में?

सच्चा सुख

मैं हो गया साठ
टूट गये दाँत, श्वेत हो गये केश
अन्त का सन्देश

जिसे नहीं मिला सुरक्षित बचपन
उसे कुछ नहीं मिला,
जिसने कभी नहीं सीखा बूढ़ा होना
उसने कुछ नहीं सीखा

सदा के सरल और सचमुच निश्छल
पाण्डेय जी हो गये कैबिनेट-सेक्रेटरी
अब शायद बनेंगे महामहिम गवर्नर
(अपने बड़प्पन के बारे में सदा सतर्क)
एक दोस्त और गया...
मगर उनकी व्यथा और कविता तो सदा मेरे पास,
मेरे जीवन के वे क्षण–
जो उन्होंने जिए :
रोंगटा ने कमा लिये और पन्द्रह करोड़
बिना कुछ खोए मैं हो गया और भी ग़रीब,
मगर साथ सुने वे ग्रामगीत
वे अश्लील सन्ध्याएँ
वहीं रहेंगी वहीं...

मैं क्या चाहता था बनना?
जीसस, स्तालिन या शरत्चन्द्र...
या सब कुछ एक ही साथ,

छह पेंस के लिए खो दिया चन्द्रमा
कुछ भी तो लगा नहीं हाथ

फूहड़ सम्पादक करते रचना अस्वीकार
छापते कूड़ा, जाते विदेश, पाते पुरस्कार
इतने वर्ष लिखने का यह सार
कितना असह्य इस खोखली सफलता का यह ठोस भार

टुन्नू के क्या नहीं होंगे बच्चे?
किसे सुनाऊँगा वे परियों की कहानियाँ,
किनके साथ जाऊँगा हरिद्वार
वनों और सुरंगों से निकलती रेलगाड़ी,
किसके साथ लौटूँगा यात्रा से?

वे प्रतापी सम्राट्, वे ऐश्वर्यशाली नगर, वे सामन्त,
सयानों की वह परिषद्, चन्द्रमा सी रूपवती वे युवतियाँ,
सूरमाओं का वह समूह, वे चारण, वे विरुदावलियाँ
सब चली गयीं कहीं, काल के अनन्त प्रवाह के साथ :
भर्तृहरि, तुम राजा थे या कवि?
तुम्हारा वैराग्यशतक
सच्चा है या मात्र है ईर्ष्या और पराजय?
कोई नहीं जानता...

मगर मैं ठहरा जन्मजात वैष्णव;
यह जीवन तो कट गया किसी तरह
सब तरह की व्यथा, सब दिशाओं में दुःखान्त कथा,
पर अभी शेष अगले जन्म
मैं फिर होऊँगा युवा,
फिर से पाऊँगा जीवन का प्रथम प्रेम :
मगर मैं तो फिर होने जा रहा दुखी
सुख की आशा करना सर्वप्रथम उदासी
क्या है सच्चा सुख?
कुछ नहीं होना पास
कुछ भी न खोने का विश्वास,

जहाँ हो गयी साँझ
वहीं जुड़ गये निश्छल प्राण,
जीना दूसरों के लिए सदा
सबसे सुखी मदर टेरेसा,
क्या यह मेरा सच्चा मन?
या सूट पहिने सिगार पीते सोफ़े की ऐयाशी
जब मन तक आ जाता तन?

नहीं नहीं, यही सत्य
वसन्त से पतझर सुन्दर,
कुछ नहीं कुछ वर्षों का यौवन
अन्तरंग अंगों का आकर्षण;
पतझर में रहती वसन्त की प्रतीक्षा,
वसन्त के आने पर उसके जाने का भय
सब कुछ समाप्त करता...

सबसे पूर्ण सुख निर्वाण
आरोग्य परम लाभ
ठीक कहते थे तथागत :
प्राणों की यही सच्ची शरण
शेष सब अतिप्रश्न

पाखी घोड़ा

फूलकुँवर राजकुमार
पंखों वाला घोड़ा
निकल पड़ा जीतने जोखिम,
हाथों में थामे साँसों का कोड़ा

टूट गये सारे स्वप्न,
पिघल गयी आशा,
जीवन से जुड़ गया उदासी का सुवर्ण,
अस्थियों की अग्नि में–
कवि जला

मेरे बाद भी रहेंगे वर्षा और वसन्त
वृक्षों पर बाद में भी खिलेंगे पलाश;
सदा सदा फेंकेगा
बाँका राजकुमार,
पंखों वाले घोड़े को–
सात समुद्रों के पार...

प्रार्थना : एक

मेरे कर्म-संकुल जीवन में,
जितने भी भावचित्र बनें
तुम्हारे स्वप्नों की तूलिका
इन्द्रधनुषी रंग भरे उनमें,
नहीं तो प्राण हो उठेंगे असह्य भार
टूट जायेगा मेरे हृदय का हीरक-हार

जब कभी भी बुद्धि का असंयत बोझ या विवेक
कँटीले अंकुश से नोचने लगे कविता के पंख,
जब कभी भी जीवन की तृष्णा और तर्क,
आग्रह के बावजूद मना कर दें भरना जीवन में रंग,
तब ओ मेरे प्रभु!
या तो मैं मृत्यु का करूँ वरण,
या कल्पना के पंख लगा
विश्व के रूप का कर लूँ आलिंगन

मैं बन्द कर लूँ तन के सारे द्वार
मन को छोड़ दूँ मुक्त करने अभिसार,
तभी हो पाएगा–
मेरे प्राणों के रंध्र रंध्र में
तुम्हारे विश्वास के अमृत का रूपसंचार

(आंद्रे मारोस)

प्रार्थना : दो

जब कभी सूखे मेरे प्राणों के उपवन की हरियाली
पक्षियों का कलरव हो जाए मौन,
प्रकाश का स्थान ले ले छाया गहरी;
जब मेरे पास कुछ भी नहीं रहे बाक़ी,
तब ओ मेरे ईश्वर,
मेरे साथ इतना अनुग्रह कर देना अनदेखा
खींच देना मेरे होंठों पर हास्य की एक उज्ज्वल रेखा

(योन नोगोची)

आग्रह

कल्पनिक मनोरथों की छाया में बैठ
स्वप्नों के सुन्दर रेखा-चित्रों में
आओ, लाल पीले रंग भरें,
भूल जायें कि डोंगी हो गयी है जर्जर
आओ, इसका पाल और पीला करें

हम पहुँचेंगे उस प्रवाल के द्वीप
जहाँ रूपकलश का घूँघट स्वयं खुले,
वीणा में जागें स्वर अपने आप,
वृक्षों पर बिना ऋतु फूल खिलें

तुम हो सहयात्री, तुम ही हो राह,
तुम हो तट, तुम ही हो नदी का अजस्र प्रवाह;
जो मदिरा ढल रही आज स्वर्ण-पात्रों में
कल तक भभकती थी वह भट्ठी में;
यह सत्य याद रखें सदा मित्र
आओ, अब पूरा करें जीवन का चित्र

आओ, पकड़ें चन्द्रमा का किरण-पाश
आओ, नाचें स्वरों पर, बादलों पर, नापें आकाश,
आओ, पकड़ें वसन्त की वन-मेखला
आओ, जकड़ें नक्षत्रों की शुभ्रवर्णा शृंखला

आओ, चलें दोनों आज साथ-साथ वहीं—
पुराने वस्त्रों में जहाँ से लौटता कोई नहीं

गाँव वापिस लौटने पर

जब इस राह से गुज़र गया तुम्हारा यौवन-भरा रूप-रथ
उजड़ गया सारे का सारा वनों का मनोरम पथ,
जिस पर किया था मैंने अपने अनुराग का शृंगार,
जिस पर बिछाये थे मैंने प्रतीक्षा में थके नेत्रों के द्वार,
और बाद में बिखेरे थे जिस पर ऋतुओं के दुकूल
चाँदनी सी धवल तुम्हारी ही हँसी के लज्जित फूल

तुम्हारे चले जाने के बाद
यहाँ बच्चे तक हँसना भूल गये,
वे नहीं सुनना चाहते अब
नीलम देश की राजकन्या की कथा,
कोई नहीं रुकता अब
किसी के पुकारने पर,
कोई नहीं कहता किसी से अपनी व्यथा,
खेत अब नहीं होते हरे
वसन्त में अब नहीं फूटते पलाश,
अब नहीं उड़ते बादलों के महलों से
सन्ध्या के वृद्ध आकाश पर हरियल युवा तोते,
कोई नहीं सँजोता अब
किसी भी रंग-भरे स्वप्न की आस,
नदी नहीं आती अब
चिर-परिचित अपने ही तट के पास

कोई यदि लौटता भी है परदेस से वर्षों बाद
वह जाना चाहता है वापिस अगली गाड़ी से,

किसी को आती भी है यदि कभी किसी की याद
तो वह आती है क्षण भर को मात्र ग़लती से...
लगता है ऐसा कुछ लौटते पाँव
मर गया मैं, या फिर मर गया गाँव

सान्ध्य-तट

समुद्र के विराट्, मांसल सौन्दर्य का उत्ताल शशि :
अगाध जल पर तैरती, सीमा तोड़ती,
चंचल रूप के ऐश्वर्य की अनन्त राशि...

बजने लगा सहसा मेरा अंग प्रत्यंग
हवा ने छेड़ दिया निद्रागत युवा जलतरंग
सागर-कन्या समेटने लगी सोने के उत्ताल पाल,
घिरने लगी साँझ
ललाट पर सँजोए, चन्द्रमा एकदम इतना लाल...

यात्रा

वह यकायक हँसी
और फिर हँसती ही चली गयी...
वह तब तक हँसती रही जब तक
आँसुओं ने कर दिया उसे अपलक,
फिर वह सिमट गयी अपने में आप
एकदम चुपचाप

उसको ढूँढ़ते ढूँढ़ते मैंने पाया स्वयं को
वह नहीं मिली मुझे कभी,
वनों की दुर्दान्त मेखला के मध्य
बहती रही पर्वत-कन्या नीलवर्णा नदी,
ओवरकोट की जेबों में डाले हाथ
सुनसान सड़क पर खड़ा रहा मैं अजनबी,
चारों दिशा फैले हरे पीले धान
मैं सुनता रहा, गीत गाते किसान

उस दिन खुल गया अचानक रहस्य का दुकूल
श्मशान में भी खिलाता सेमल लाल ही फूल,
ठीक वही लज्जा के रक्तवर्ण फूल
जो मैं लगाता था उसके युवा केश,
और जिनके लगते ही पल भर में
बदल उठता था उसके यौवन की अँगड़ाई का वेश...

असहाय

कुटिया हो फूस की या हो मणियों का महल
भीतर जाने का होता एक ही द्वार,
राजा हो, रंक हो, या भिखारी,
जीवन में होता प्रणय एक ही बार

जब होती उद्दाम, उत्कट अभिलाषा
साथ नहीं देती कवि की कोई भी भाषा,
कुछ नहीं निकला उत्सुक प्रतीक्षा का हल
पश्चिम में पिघल गया सन्ध्या का स्वर्ण-महल

आशा

मेरी देह में छिपी है एक कालकोठरी
लोहे का भारी भरकम दरवाज़ा,
बाहर लटका फ़ौलाद का ताला
वर्षों पहले खो गयी चाबी जिसकी;
उस चोर-कमरे में कभी नहीं घुस सका कोई,
यहाँ तक कि तुम और मैं भी नहीं...

मेरे जल जाने के बाद
पिघल जायेगा ताले का फ़ौलाद,
और वर्षों से बन्दी
वे अनगिनत स्वप्न, वे कल्पना के सच्चे महल, वे अनगाए गीत,
जो करते रहे अब तक मात्र मुझे व्यतीत,
सब के सब हो जायेंगे सहसा मुक्त,
खोजेंगे कोई दूसरी देह
ज़्यादा उपयुक्त

वृक्षों पर फूटेंगी हरी पीली पन्ने और पुखराज की पत्तियाँ,
नदियों पर उगेंगी पीले पाल वाली डोंगियाँ,
युवतियों के अधरों पर दमकेंगी हँसी
यौवन के पाश में रूप की तितली,
चन्द्रमा को मिलेगी नयी कला
कम उदास घिरेगी मेरे बाद सन्ध्या...

मैंने जब भी कहीं देखा सचमुच अदम्य रूप कभी
सदा लगता, आज जला कोई कवि कहीं...

जिस दिन वसन्त मरा

ऋतु की रूपवती युवती ने बदल ली करवट
वसन्त आज चला गया किसी दूसरे तट,
आया था वह बैण्ड और बाजे के साथ
पर जाते समय वह था चुप और उदास,
विवाह के बाद उठती वधू की पालकी
उत्कण्ठा, अपलक प्रतीक्षा, कहारों की कहाकही...

अब इलाहाबाद तपेगा महीनों तक
सड़कें पिघलेंगी
साढ़े दस के बाद कोई बाहर नहीं निकलेगा,
रिक्शे और उदासी भी,
वृक्ष हो जायेंगे असहाय और नंगे
राजा-महाराजा से बनेंगे भिखमंगे

मैं करूँगा वर्षा की प्रतीक्षा
जाऊँगा किसी क्षितिजहीन दिशा,
वहाँ तक दौड़ूँगा—
जहाँ बादलों की नाव कहीं
समुद्र के तट पर मिलेगी बँधी

इतनी यात्राएँ कर लेने के बाद भी,
लगता है, मैं गया नहीं, कहीं भी, कभी भी
तुम नहीं समझोगे मेरी बात ग़रीब
तुम ठहरे मेरे बहुत क़रीब

हेमन्त की वर्षा की अजस्र झड़ी में
मैं ही तो छिपा था वसन्त के रंगबिरंगे छाते में,

और जैसे ही फूटे चतुर ऋतु के नये नये पलाश
वसन्त आ छिपा मेरे अपने लबादे में,
और इसी कारण फाल्गुन के लगने पर भी
मैं उसे ढूँढ़ता ही रहा,
चैत्र आते आते
वसन्त मेरे ही पाँव से कुचला गया,
हाईकोर्ट, कम्पनी-बाग़, यूनिवर्सिटी के विस्तृत लॉन
पता नहीं कहाँ कहाँ
ख़ुसरो बाग़ से संगम तक
नाचता रहा उसका शव जहाँ तहाँ...

मगर मुझे हुआ उसका एहसास
जब मैं पहुँचा तुम्हारी अमलतासी देह के पास,
गुलमुहरों के रक्तवर्ण पुष्पों के गुच्छों के झुरमुट
हँसते हँसते करने लगे उदास,
आकाश के कपोल पर अंकित
पूर्णिमा का चुम्बन अपरिमित
स्वर्ण में जड़े रत्न का वह अदम्य आकर्षक पाश...

वसन्त मेरे पास से चला गया
अकेला, फटेहाल, क़ब्रिस्तान की दिशा...

एक तितली उड़ी सहसा
पीले पालों के खोल पाल,
आँख से ढलक गया एक एकाकी आँसू
सहम गया पीली धूप का समुद्र
आकर्षक, रूपवान्, उत्ताल

विदा

इन पतझड़ों के उस अनन्त पार
कहीं दूर प्रतीक्षा में खड़ा होगा मेरा पुराना मित्र वसन्त,
इस सूखे और बीहड़ रेगिस्तान के उस पार
कहीं अवश्य बाट जोहती होगी वर्षा की गदरायी युवती
हल्दी चावल से आँगन अलपती,
इन विकट दुर्दान्त पर्वतों के भीतर जाने का
ज़रूर होगा कोई परम विकट संकट-भरा मार्ग
जो पहुँचाता होगा चन्द्रमुखी राजकन्या के गवाक्षों तक,
इस मत्त समन्दर के उधर वाले सुदूर तट पर कहीं
अवश्य होगा कोई प्रवाल का आकर्षक द्वीप,
और इन भाद्रपद के मेघों की पर्तों के पीछे
ज़रूर कहीं खड़ी होगी लजाती, मुस्कुराती पूर्णिमा
यौवन, लज्जा और रूप की चिरन्तन प्रतिमा...

वह वसन्त, वह वर्षा, वह पूर्णिमा का प्रवाल-द्वीप
मुझे कभी नहीं मिला,
यूँ ही बस चलता रहा
साँसों का पुराना सिलसिला

इन सब यात्रान्तों तक पहुँचने का
अदम्य साहस मुझमें अब नहीं रहा;
तुम हो समर्थ, रूपवान्, राजकुमार,
तुम्हारे ही बाँके कन्धों पर
छोड़ता हूँ अब यह अपना भार...

कृष्णपक्ष की पूर्णिमा

चन्द्रमा की नाव में लुकाछिपी करती मेघों की श्यामा राजकन्या,
तट पर आलिंगन करते स्मृतियों के वृक्ष,
वेदना का पुलकित और उदास आभास,
फाल्गुन में सजे वसन्त की छबीली छटा
अगोरती हुई प्राणों का रमणीक प्रांगण;
उत्सुक प्रतीक्षा के संक्षिप्त पदचापों का कारण...

यौवन बीत गया,
टूट गया मायावी समुद्रों पर बना तिलिस्मी क़िला,
जिसमें रहती थी विश्व की सुन्दरतम अप्सरा
जो बहाती थी स्वर्ण के आँसुओं की लड़ी,
तरल़ दृष्टिपातों से कपोलों पर उतरती लज्जा
वह हृदय-विदारक निर्लज्ज हँसी...
नदी के वक्ष पर विश्राम करता चन्द्रमा जो आता था इतना निकट
चला गया छोड़कर आज अपना तट

समय की आँधी में उड़ गये जीवन के वर्ष
गतिशील अन्धकार में डूब गये चिन्ता और हर्ष,
महलों पर प्रज्वलित रत्नों के दीपक अब बुझ गये
कमलों के वनों से हंस उड़ गये...

मैं जानता हूँ मेरी डोंगी अब बूढ़ी है
पर उसके पाल अभी पीले हैं
एकदम पीले;
जो भी आयेगी हवा
झंझावात या प्रलय,

वे नहीं बदल सकेंगे पालों का रंग
वे नहीं तोड़ पायेंगे मेरा युवा हृदय,
आशा, प्रतीक्षा और उल्लास
कभी नहीं छोड़ेंगे मेरा साथ,
दिगन्त पर दमकेगी सदा
सुधियों की उज्ज्वल दीपशिखा...
मैं जाता हूँ आज इस अनन्त यात्रा पर
मैं रौंदूँगा समुद्रों का उत्ताल वक्ष,
मैं पकड़ूँगा लहरों के जाल में फँसा चाँद,
मेरी यात्रा है एक कवि की यात्रा
यह यात्रा है उन कल्पनाओं की, उन स्वप्नों की, उन संकल्पों की
जो कभी समाप्त नहीं होते
कभी नहीं...

मैं जानता हूँ
मेरी कविता सदा लिखी गयी बालू पर,
समुद्र का अदम्य उत्ताल आक्रमण—
बहा देगा उस सबको जो मैंने जीवन भर लिखा;
मगर जब तक है रक्त की एक बूँद भी शेष
तब तक मैं लिखूँगा कविता
मैं फिर लिखूँगा कविता
मैं फिर लिखूँगा कविता
मैं फिर लिखूँगा कविता...

प्राणों के बाद भी दमकेगी
प्रतीक्षा के क्षणों की अदम्य गरिमा,
कृष्णपक्ष की भयंकर निशीथ में भी चमकेगी
सोलह कलाओं से भी अधिक पूर्ण गौरवर्णा पूर्णिमा

फाँसी के तख़्ते से...

(जूलियस फ़ीचक चेकोस्लोवाकिया का एक सशक्त साम्यवादी क्रान्तिकारी था जिसे द्वितीय महायुद्ध के दौरान जर्मनी के 'गेस्टापो' ने पकड़ लिया था। जेल के भीतर ही वह टायलेट पेपर पर पेंसिल के छोटे-छोटे टुकड़ों से अपने अनुभव लिखता रहा जो किसी तरह जेल के बाहर पहुँचते रहे और बाद में पुस्तक के रूप में प्रकाशित हुए। अमृतराय ने उस महान् क्रान्तिकारी पुस्तक का हिन्दी में अनुवाद किया और उसी पुस्तक के मार्मिक अंशों को लेकर मैंने यह कविता लिखी। जूलियस फ़ीचक को मात्र चालीस वर्ष की आयु में ही हिटलर ने फाँसी पर लटका दिया था।)

अभी अभी बजा चार का गजर
बन्द खिड़कियों से मिलता नहीं कोई उत्तर
थोड़ी ही देर बाद सुबह हो जायेगी शायद,
जेल के बाहर खड़ा होगा वसन्त;
मृत्यु के आने में हो रही है देर
क्या मैं आगे बढ़
उससे ख़ुद नहीं मिल सकता?
यह अकेलापन तो मृत्यु से भी कहीं ज़्यादा...

कितनी यातनाएँ दी गयी हैं मुझे
हर मोज़े और हर कफ़ में छिपा है कितना दर्द;
खुले घावों के बल बैठने की भयंकर पीड़ा :
ओ माँ, ओ बाबू जी,
आपने क्यों बनाया मुझे इतना मज़बूत
कि मैं यह सब सह सकूँ?
क्या यहाँ भी फन्दा डालने से पहिले
मुझे चूमेगा जेल का जल्लाद?
लाखों इंसानों की आज़ादी के लिए लड़ा जा रहा यह युद्ध,

इस अन्तिम सेना का अन्तिम सिपाही होना
वसन्त की भाँति एक सुन्दर सपना है :
मेरा एक दोस्त मेरे पास ही पड़ा,
क्या मैं उससे मिल सकूँगा दुबारा आज के बाद?
कौन लेने आयेगा उसे—
वर्दी पहिने सिपाही या मृत्यु
जो कभी नहीं पहिनती कोई वर्दी?

हम सब सुख के लिए लड़े,
अब भी हम सुख के लिए ही मरेंगे,
शोक का नाम कभी नहीं जोड़ना हमारे साथ;
कितना भाग्यवान् होगा वह साथी—
जिसे लगेगी इस अन्तिम युद्ध की अन्तिम गोली...

हम ख़ुशी के मारे गाते हैं—
जैसा सदियों से करते आये लोग;
और तब तक करते रहेंगे
जब तक इंसान है इंसान;
वसन्त ने भर दिया परिवेश में जादू
जिसका नहीं था हमें स्वप्न में भी स्वप्न

कितना भयंकर है उन साथियों को देखना—
जिनकी देह यातनाओं ने कर दी लुंज और बेकार,
यातना के समय—
शब्द ही उनकी ढाल थे और शब्द ही हथियार :
और उनसे भी ज़्यादा भयंकर है उन साथियों को देखना—
जिनका ओछा था साहस और विश्वास
जो कुछ चोटों से बचने के लिए यूँ ही टूट गये...
कोई भी क़ैदी कभी नहीं होता एकदम एकाकी
जेल में भी होती एक विचित्र बिरादरी;
सख़्त से सख़्त कालकोठरी भी
जिसे नहीं कर सकती कभी भी अलग,
जब तक कि कोई क़ैदी
स्वयं ही स्वयं को अलग न कर ले;

छोटे से छोटा क़ैदी भी
अपने कष्ट और यातनाओं के कारण
कम नहीं होता उन बड़े लोगों से–
जिनका नाम होगा इतिहास की तिजोरी में सुरक्षित;
यह एकदम सच है, सच :
वे ले सकते हैं उनके प्राण
मगर छीन नहीं सकते उनका असीम प्रेम
उनका अदम्य साहस के साथ खड़ा होना :
छोटे लोगों के पास होती हैं कुछ ऐसी खुशियाँ
जो सिर्फ़ ग़रीबों के ही पास होती हैं
और कहीं नहीं...

वे दो नवयुवक आ रहे हैं मेरे कुछ दोस्तों को लेने
फाँसी के तख़्ते तक,
हालाँकि ये दोनों सिपाही बेहद ख़ूबसूरत हैं...
बाक़ी कहानी छोड़ता हूँ उनके लिए
जो अभी पैदा नहीं हुए...

लोग इसी तरह हो रहे हैं ग़ायब
हज़ारों क़ब्रिस्तानों में बिखरते हैं उनके प्राण;
एक दिन इन बीजों से
उगेगी एक सुनहली फ़सल
जो होगी किसी युवा नर्तकी जैसी हसीन :
संसार कितना सुन्दर है,
मेरे बाद भी वह इतना ही सुन्दर रहेगा
इतना ही,
इस बात की मुझको कितनी ख़ुशी...

न जाने कितने कल बीत गये,
हज़ारों लोगों ने प्राणों से धोए हाथ,
मगर काल को नहीं कर सकता कोई भी गिरफ़्तार;
कल क्या होगा, यह कोई नहीं जानता
थक जाते हैं हम ख़ुद से करते-करते सवाल
मगर हमें कोई उत्तर नहीं मिलता...

जो हमारे सामने खड़ा है, वह एक सच है
जिसे हमने पीछे छोड़ा, वह भी एक सच था :
ओ कायर गुप्तचरो
तुम कुछ भी कर लो
जीवन को तुम नष्ट नहीं कर पाओगे,
कितना ही जला दो इसे
इसमें से फिर भी निकलेंगी
कोंपलें नयी नयी :
ज़िन्दगी सदा रही
मौत से भारी...

जेल की वह सामने वाली दीवार—
जिसमें पड़ गयी है पहिचान की दरार;
उन दरारों से चमकते हैं
आदमियों के चेहरे;
जेल नहीं होती कोई ख़ुशी की जगह
मगर इस कोठरी से बाहर का संसार
और भी काला है, और भी वीभत्स;
वे सब मुर्दा घोड़े हैं
उन पर बाज़ी लगाने से क्या फ़ायदा?
मैं नहीं चाहता कि लोग मरें
मैं तो ख़ुद भी ज़िन्दा ही रहना चाहता हूँ
मगर अब दूर नहीं है अन्त;
जहाँ तुम जा रहे हो आज—
वहाँ मैं कल पहुँचूँगा;
मगर तब तुम नहीं होंगे;
मैं नहीं जानता तुम्हारा नाम
मगर इससे क्या फ़र्क़ पड़ता है?

उन्हें है अपनी ताक़त का डर
कल क्या होगा, इसका डर
वे सब दिशाओं में ढूँढ़ते हैं हल
जो उन्हें कहीं नहीं मिलता;

चूहेदानी में फँस गये वे चूहों की तरह
अब क्या निकलेंगे?
उनकी अक्ल उनके पास नहीं रही
उनका दिल अपनी जगह छोड़ गया;
हम निहत्थों पर ज़ुल्म ढाने के सिवा
वे और कर ही क्या सकते हैं?
यही है उनकी सबसे बड़ी समस्या,
मगर कौन रोक सकता है
एक मरणासन्न क़ैदी का सच्चा उल्लास?

मेरी कोठरी में टँग गयी पेटी
अब आ गया समय फाँसी लगने का
अब नहीं मिलेगा अवसर लिखने का
यही है मेरी आख़िरी गवाही
इतिहास का वह टुकड़ा—
जिसका चश्मदीद गवाह सिर्फ़ मैं था :
आज है अभिसार की रात्रि
एकेशिया के फूलों की सुगन्ध से लदी,
आओ, डाल लें खिड़कियों पर पर्दे...

असलियत की ज़िन्दगी में होते नहीं दर्शक,
वे सब नाटक के पात्र ही होते हैं,
नाटक का पर्दा अब अन्तिम बार गिरेगा;
तुम कभी यह नहीं भूलना
कि मैं तुमसे प्रेम करता था...

आज ख़त्म हो जायेगा बाइस्कोप का तमाशा;
किसी की माँ, पत्नी या बच्चे का चित्र,
टूटे फूटे मकनों और तहस-नहस का चित्र,
बहादुर साथियों और ग़द्दार दोस्तों का चित्र,
साहस, संकल्प, प्रेम, घृणा, भय और आशा का चित्र;
वह चित्र—
जिसमें किसी ने मेरा हाथ कभी पकड़ा था
और कहा था कि मैं तुम्हारा दोस्त हूँ;

और सचमुच वह मेरा दोस्त ही निकला
हालाँकि मैं उसे जानता तक नहीं था...

मेरी कहानी अब हो रही है ख़त्म
कल पड़ जायेगा फाँसी का फन्दा
मगर उससे क्या?
मेरे बाद भी तो लाखों लोग बचेंगे
जो इस कथा का सुखद अन्त लिखेंगे....

हिरोशिमा के फूल

(जन्म से स्वीडिश, पर नागरिकता के नाते अमेरिकी, प्रख्यात लेखिका एदिता मोरिस ने जब 'फ्लावर्स ऑफ़ हिरोशिमा' नाम का उपन्यास लिखा तो देखते-देखते विश्व की प्रायः सभी भाषाओं में उसका अनुवाद हो गया और अब तक उसकी एक करोड़ से ऊपर प्रतियाँ बिक चुकी हैं। अमेरिकन होते हुए भी लेखिका ने एक जापानी युवती के माध्यम से अणुबम के भयंकर विनाश से प्रभावित मानवीय आत्मा का जो चित्रण किया है वह अपने में बेजोड़ है। मोहन राकेश ने इस उपन्यास का हिन्दी में अनुवाद किया और उसी के कुछ अंशों को लेकर मैंने यह कविता लिखी। उपन्यास की करुणता को तो मैं किसी हद तक पकड़ सका, पर उसकी विभीषिका को पकड़ते हुए मेरे हाथ काँपने लगे। उपन्यास के वे अंश मैंने विवश होकर छोड़ दिये।)

ओ मेरी प्यारी चिड़िया
तुम अपने पिंजरे में
इतनी सुन्दर आवाज़ में मत गाओ
कि मेरा किसी काम में मन ही न लगे
और मैं फिर उन वसन्तों के बारे में सोचने लगूँ
जब मैं छोटी थी,
और जब हिरोशिमा में नहीं आयी थी वह प्रलय
जिसमें न जाने कितने सुन्दर और युवा लोग मरे
और न जाने कितनी युवतियाँ और युवक
हो गये अपंग या बदसूरत
मेरी तरह, मेरे पति की तरह :
ओ मेरी प्यारी बुलबुल
तुम इतनी मधुर आवाज़ में आज मत गाओ...

आज भी मुझसे अपनी हँसी नहीं दबती
कुदरत ने बनाया था मुझे सिर्फ़ हँसने के लिए
ऊपर को उठता गोल मुखड़ा, गालों में पड़ते गड्ढे;
मैं कितनी अभागिनी हूँ कि
छोटी से छोटी चीज़
मुझे अब भी हँसा सकती...

मेरी बहिन आ रही है बगिया से
कबूतर की भाँति पंख फड़फड़ाती
अब वह बैठेगी
रूमाल जैसी मुलायम घास पर
चेरी के वृक्ष तले,
हम सबकी ज़िन्दगी है तंग और चक्करदार
किसी चबाए गये तार की भाँति;
पर मेरी छोटी बहिन
हाथों में सफ़ेद फूल लिये
अपने सफ़ेद किमोनो में
लगती है जैसे कि वह कोई छोटी-सी रूह हो
निष्कलंक और निष्पाप :
अब वह हो रही है युवा
किसी भी सुन्दर नवयुवक के प्रति समर्पण को उत्सुक
जैसे सितम्बर की सुबहों में होते हैं
आलूचे तोड़े जाने के लिए आतुर,
मैं उसकी यह स्थिति देखकर
डरती हूँ और होती हूँ खुश भी,
कभी मैं भी जवान थी, रूपवती थी...
जब वह देखती है मेरी दिशा
लगता है कि उसने मेरा हृदय ही मसल दिया,
सितारों की रोशनी में आज चमकेगा
बम पड़ने से पूर्व मेरा अपना चेहरा :
मैं अपने पति से प्रेम नहीं करती उतना

जितनी कि मैं उसकी प्रतीक्षा करती हूँ,
युद्ध या युद्ध के बाद की लाखों-करोड़ों युवा पत्नियों का
यही हाल है—इस तट से उस तट तक,
समय हिलता जाता है
घड़ी के पेंडुलम की तरह...
काश, मुझे इतना प्यार करने वाला पति न मिलता...
मैं फिर हँस पड़ती हूँ
अपनी निराशा छिपाने के लिए,
धूप मेरे सुनहरे बालों पर दमकती है
अन्दर से छलकती है ख़ुशी
जो ज़िन्दगी में सदा नहीं रहती :
पुरानी आबादी वाला हमारा इलाका
मलबे पर टिका है, टूटा हुआ, जला हुआ और गन्दा,
मगर यह शहर
कभी कितना ख़ूबसूरत था...
अब यह लगता है क़ब्रिस्तान
मैं देखती हूँ और पी लेती हूँ एक भयंकर चीख़
क्योंकि सामने से आ रही हैं वे—
ताज़ा पत्तियों जैसी सुन्दर लड़कियाँ
नाव के ऊपरी हिस्से में फूस की चटाइयों पर घुटने टेक
जो गा रही हैं एक
दुःख भरा गीत,
छोटी छोटी पानी की बूँदें
चमकती हैं आँसुओं की तरह दिलकश;
जो विदेशी यहाँ आते हैं
उन्हें कहाँ दीखता है वह हिरोशिमा
जो मैंने देखा था
और जिसके बारे में सोचते ही
मैं लपक उठती हूँ इधर से उधर
आग की तरह :
जहाँ मैं जीती हूँ—

वह है मात्र एक भँवर,
यही है वह नगर
जहाँ दफ़ना दिये मैंने
प्रेम के सारे स्वप्न
पनपने से भी पहले :
आओ चलें
समुद्र के तट पर
सीपियाँ चुनें
हीरों जैसी :
मुझे आ रही है लज्जा
पलकें छूती हैं मेरे कपोल
यदि कभी मेरे हृदय में फूल खिले
तो उनकी सुगन्ध पहुँचेगी–
समुद्रों के भी पार;
मैं फटना चाहती हूँ
पके हुए अंगूर की तरह,
मैं काटती हूँ अपना हाथ
स्वाद लेती हूँ अपने ही रक्त का
और हिचकियों के हिंडोले पर सवार होकर भी
मैं चुप रहती हूँ
एकदम चुप्प

सच्चा प्यार एक वृक्ष सा बढ़ता है
धीरे धीरे, वर्ष के बाद वर्ष;
मेरी युवा बहिन
रेशमी उँगलियों से सँवारती है अपने केश,
छोटे छोटे हाथों से दबाती है अपना वक्ष
बस, यही है उसकी सबसे बंकिम भंगिमा,
मैं चुप रहती हूँ, एकदम शान्त
खोलती हूँ पुरानी यादों का बक्सा
और उसके बाद लगता है जैसे

पुरानी दमित उत्तेजनाओं के कारण
मैं दौड़ पड़ी हूँ किसी अँधेरी रात की सड़क पर
छाती पर रखे हाथ
भय से काँपती हुई...

आओ, चलें चेरी के वृक्ष तले
जुड़े हुए मुखर हाथों पर पुष्पों की वर्षा :
तुम लग रहे हो आज इतने सजीले
जैसे कि तुम्हारे जीवन का यह अन्तिम दिन हो;
प्रेम उड़ा आ रहा है पंखों पर
जैसे मेरी माँ गयी थी आग में मशाल की तरह
और उसके बाद
तूफ़ान में झोंपड़ी की भाँति
मेरे सारे युवा स्वप्न टूट गये थे;
लोग कहते हैं कि मेरी आँखें ऐसी ख़ूबसूरत थीं
कि उन्हें देखते ही
विध्वस्त आवाज़ भी एक गीत बन जाती थी;
हवा में उड़ती इस कल्पना ने
मेरा चेहरा फिर सुर्ख़ कर दिया
मैं किसी को नहीं बताऊँगी अपने दिल की बात
किसी दूसरे की शाम बरबाद करने का
मुझे कहाँ है अधिकार?

चौदह वर्ष बीत गये
जब मेरे भीतर आकर छिप गयी थी मौत,
मैं नहीं जानती छिपाना अपना आवेश
अन्दर की चोटों का कोई इलाज नहीं,
प्रेम को ओढ़ने वाली मोम की गुड़िया
मैं महसूस करती हूँ जैसे जीवित बचकर
मैंने कोई भयंकर अपराध किया हो;
मेरे सामने नाचते हैं भूत और प्रेत

हृदय फटना चाहता है अचानक
कमल की कली की भाँति,
क्या इस समय तुम्हें भी हो रहा है वैसा ही महसूस
जो मैं कर रही हूँ अनायास?
मुझे आज लगता है
जैसे कि मेरी देह
बिजली का कोई नंगा तार हो,
घास पर बनाते हैं जुगनू
मोमबत्तियों का ग़लीचा

यह कौन जासूस है—
जो काला चोग़ा पहिनकर
झाँकता है खिड़की की चौखट में से?
क्या तुम्हारा चेहरा भी हो गया है इतना स्याह
कि सफ़ेद फूलों की याद आने लगे?
मैं हिम्मत बटोरती हूँ
चमकती हूँ म्यान में से निकली तलवार की तरह,
मैं जाऊँगी एकदम अभी
देवदार के जंगलों को पार करके
समुद्र के तट तक
जो मुझे इतना भाता है
कि मैं फिर उदास हो जाती हूँ
ठीक कठघरे में खड़े उस अपराधी की तरह
जिसे सुनाई जानी है कोई भयंकर सज़ा :
क्या निराशा में हो सकता है कोई सन्तुष्ट?
मैं तो हो गयी हूँ इतनी कमज़ोर
कि फूल भी नहीं उठा सकती
नेपथ्य में होती है ठीक वैसी आवाज़
जैसे गिराता हो नाटक का पर्दा कोई;
हम सब जीते हैं
कठपुतलियों का जीवन,

अपने को गिरने से बचाने के लिए
मुझे पकड़ना पड़ेगा बिजली का कोई खम्भा

यह वसन्त की ऋतु है
चेरी पर खिले हैं ताज़ा ज़ख़्मों से फूल,
शाखाएँ सुलगती हैं रोशनी में :
मुझे आज क्या हो गया सहसा–
ओ मेरी प्यारी चिड़िया
आज तुम
इतना प्यारा गाना मत गाओ

❑❑

परिशिष्ट

(अ) जीवन-वृत्त : रवीन्द्रनाथ त्यागी

1.	जन्म	:	9 मई, 1930 (क़स्बा : नहटौर, ज़िला-बिजनौर, उत्तर प्रदेश)।
2.	देहावसान	:	4 सितम्बर, 2004 (देहरादून, उत्तराखण्ड)।
3.	शिक्षा	:	एम.ए. (अर्थशास्त्र), प्रयाग विश्वविद्यालय (गोल्ड मेडलिस्ट), 1954।
4.	विवाह	:	सुश्री शारदाजी से, 24 जून, 1955।
5.	आजीविका	:	12 दिसम्बर, 1955 को 'इण्डियन डिफेंस एकाउण्ट्स सर्विस' में नौकरी आरम्भ की और 1 सितम्बर, 1989 को 'कण्ट्रोलर ऑफ़ एकाउण्ट्स' के पद से सेवानिवृत्त हुए।
6.	परिवार	:	पिता : पं. मुरारीदत्त शर्मा, माता : श्रीमती चमेली देवी, पत्नी : श्रीमती शारदा त्यागी, पुत्र : अशोक (जन्म : 17 अगस्त, 1962), पुत्री : इन्दु (जन्म : 9 जुलाई, 1966), पुत्र-वधू : दीपा, पौत्री : पल्लवी, पौत्र : प्रणव, दामाद : राजय, दौहित्री : कोपल राजे।

(आ) पुरस्कार-सम्मान

1. उत्तर प्रदेश हिन्दी संस्थान, लखनऊ : 1977-1978-1979 में प्रति वर्ष तीन अलग-अलग पुस्तकों पर पुरस्कृत।
2. सरस्वती सम्मान, सहारनपुर।
3. नागरिक सम्मान, मेरठ।

4. चकल्लस पुरस्कार, मुम्बई, 1985।
5. टेपा पुरस्कार, उज्जैन, 1988।
6. श्रीनारायण चतुर्वेदी पुरस्कार, उत्तर प्रदेश।
7. पदुमलाल पुन्नालाल बख्शी पुरस्कार, मध्य प्रदेश।
8. अट्टहास शिखर सम्मान, 1997।
9. व्यंग्यश्री पुरस्कार, दिल्ली, 1998।
10. लीलावती स्मृति पुरस्कार, 1999।
11. शरद जोशी सम्मान, 1999।
12. हरिशंकर परसाई पुरस्कार, हरदा, 2001।
13. स्नेहलता गोइन्का व्यंग्य-भूषण पुरस्कार, 2002।

(इ) रवीन्द्रनाथ त्यागी का साहित्य

(क) हास्य-व्यंग्य संग्रह (मौलिक)

	पुस्तक	प्रकाशक	प्रकाशन-वर्ष
1.	खुली धूप में नाव पर	लोकभारती प्रकाशन, इलाहाबाद	1963
2.	भित्ति-चित्र	राजकमल प्रकाशन, नयी दिल्ली	1966
3.	मल्लिनाथ की परम्परा	लोकभारती प्रकाशन, इलाहाबाद	1968
4.	कृष्णवाहन की कथा	नेशनल पब्लि. हाउस, नयी दिल्ली	1971
5.	देवदार के पेड़	नेशनल पब्लि. हाउस, नयी दिल्ली	1973
6.	शोक-सभा	नेशनल पब्लि. हाउस, नयी दिल्ली	1974
7.	अतिथि-कक्ष	राजपाल एण्ड संस, दिल्ली	1977
8.	सुन्दरकली	सम्भावना प्रकाशन, हापुड़	1978
9.	फूलों वाले कैक्टस	पराग प्रकाशन, दिल्ली	1979
10.	ऋतु-वर्णन	नेशनल पब्लि. हाउस, नयी दिल्ली	1988
11.	भद्र-पुरुष	पराग प्रकाशन, दिल्ली	1980
12.	इस देश के लोग	पराग प्रकाशन, दिल्ली	1982
13.	पदयात्रा	नेशनल पब्लि. हाउस, नयी दिल्ली	1985
14.	पराजित पीढ़ी के नाम	पराग प्रकाशन, दिल्ली	1988
15.	प्रसंगवश	पराग प्रकाशन, दिल्ली	1988
16.	आत्मलेख	नेशनल पब्लि. हाउस, नयी दिल्ली	1988

17.	विष-कन्या	भारतीय ज्ञानपीठ, नयी दिल्ली	1990
18.	गणतन्त्र दिवस की शोभा-यात्रा	नेशनल पब्लि. हाउस, नयी दिल्ली	1991
19.	चम्पाकली	किताब घर, नयी दिल्ली	1992
20.	इतिहास का शव	राजकमल प्रकाशन, नयी दिल्ली	1993
21.	देश-विदेश की कथा	किताब घर, नयी दिल्ली	1994
22.	भाद्रपद की साँझ	राजकमल प्रकाशन, नयी दिल्ली	1996
23.	लाल पीले फूल	किताब घर, नयी दिल्ली	1997
24.	बादलों का गाँव	अभिरुचि प्रकाशन, दिल्ली	1999
25.	शेष-अवशेष	भारतीय ज्ञानपीठ, नयी दिल्ली	2011

(ख) हास्य-व्यंग्य संकलन (पूर्व प्रकाशित निबन्धों के संकलन)

1.	उर्दू-हिन्दी हास्य-व्यंग्य	पराग प्रकाशन, दिल्ली	1978
		दूसरा संस्करण : राजकमल प्रकाशन, नयी दिल्ली	1991
2.	फुटकर	सम्भावना प्रकाशन, हापुड़	1979
3.	मेरी श्रेष्ठ व्यंग्य रचनाएँ	नेशनल पब्लि. हाउस, नयी दिल्ली	1979
4.	प्रतिनिधि रचनाएँ (सम्पादक : कमल किशोर गोयनका)	पराग प्रकाशन, दिल्ली	1988
5.	पूरब खिले पलाश	भारतीय ज्ञानपीठ, नयी दिल्ली	1998
6.	कबूतर, कौए और तोते	भारतीय ज्ञानपीठ, नयी दिल्ली	2001
7.	एक चिरन्तन कथा	मेधा बुक्स, दिल्ली	2004
8.	यक्ष-प्रश्न	मेधा बुक्स, दिल्ली	2005
9.	वसन्त से पतझर तक	भारतीय ज्ञानपीठ, नयी दिल्ली	2005
10.	सिन्दबाद की अन्तिम यात्रा (सम्पादक : कमल किशोर गोयनका)	प्रभात प्रकाशन, नयी दिल्ली	2008
11.	ग़रीब होने के फ़ायदे (सम्पादक : कमल किशोर गोयनका)	प्रभात प्रकाशन, नयी दिल्ली	2008

12.	51 व्यंग्य रचनाएँ (सम्पादक : कमल किशोर गोयनका)	डायमण्ड बुक्स, नयी दिल्ली	2011

(ग) कविता-संग्रह

1.	सूखे और हरे पत्ते	भारती भण्डार, प्रयाग	1962
2.	कल्प-वृक्ष	राजकमल प्रकाशन, नयी दिल्ली	1965
3.	आदिम राग	राधाकृष्ण प्रकाशन, नयी दिल्ली	1967
4.	आख़िरकार	नेशनल पब्लि. हाउस, नयी दिल्ली	1978
5.	सलीब से नाव तक	पराग प्रकाशन, दिल्ली	1983
6.	अन्तिम वसन्त	पराग प्रकाशन, दिल्ली	1988
7.	कृष्ण-पक्ष की पूर्णिमा	किताब घर, नयी दिल्ली	1996

(घ) कविता-संकलन (पूर्व प्रकाशित कविताओं का संकलन)

1.	पीले पाल वाली बूढ़ी नाव (श्रेष्ठ कविताएँ)	मेधा बुक्स, दिल्ली	2003

(ङ) उपन्यास-कहानी

1.	अपूर्ण कथा	सम्भावना प्रकाशन, हापुड़	1980
2.	अपूर्ण कथा (पेपरबैक)	राजपाल एण्ड संस, दिल्ली	1985

(च) पत्र-संग्रह

1.	मेघदूत उवाच	गीतांजलि प्रकाशन, देहरादून	2008

(छ) बाल-साहित्य

1.	मास्टर भोलाराम	पराग प्रकाशन, दिल्ली	1979
2.	हमारे मास्टर साहब	जनप्रिय प्रकाशन, दिल्ली	1987

3.	खेल गाँव	अभिरुचि प्रकाशन, दिल्ली	1991
4.	सुन्दर वन	अभिरुचि प्रकाशन, दिल्ली	1995

(ई) अप्रकाशित-असंकलित रचनाएँ

रवीन्द्रनाथ त्यागी के दिवंगत होने के बाद उनकी पत्नी श्रीमती शारदा त्यागी को निम्नलिखित ऐसी रचनाएँ मिलीं जो अप्रकाशित एवं असंकलित थीं। ये रचनाएँ निम्नलिखित हैं–

1. आठ कविताएँ : झंडे के प्रति, पनघट, कवि से...., शाम हो गयी..., बेला, मेरा देश और साँझ।

   शारदाजी के अनुसार इनका रचना-काल 1948-52 के बीच का है। इनमें कुछ 'सरस्वती' (प्रयाग) पत्रिका में छपी थीं। उनकी एक पाँच पंक्ति की कविता उनकी डायरी में मिली, वह भी प्रस्तुत है। यह सम्भवतः उनकी अन्तिम कविता है।

2. उनके तीन असंकलित लेख भी संकलित हैं। पहला लेख तो उन्होंने मुझ पर लिखा था, दूसरा 'कुछ व्यंग्य संस्मरण' उन्होंने देहावसान के दिन ही 'उमर उजाला' को प्रकाशनार्थ भेजा था, जो उनके देहान्त के तीन दिन बाद श्रद्धांजलि के रूप में 'अमर उजाला' ने प्रकाशित किया। तीसरा लेख 'नयी पीढ़ी' फ़ाइल में दबा रखा था जो 'इण्डिया टुडे' ने उनकी पहली पुण्य-तिथि को प्रकाशित किया था।

आठ कविताएँ

(1) झंडे के प्रति

जय भारत के प्राण तिरंगे,

बिखर रही थी भारत सुषमा
सदियों से था कितना जर्जर
रही नीरसा धरा उर्वरा
रोता सा रहता था पतझर
सूने से उस ही उपवन में
मचवादी पिकतान तिरंगे!
जय भारत के प्राण तिरंगे।

स्वतन्त्रता की बलिवेदी पर
प्राणों से था खेल निरन्तर
आज़ सत्य हैं जिनके सपने
अमर हुए जाने वे कितने
भगत सिंह जैसे अनेक उन
वीरों के अभिमान तिरंगे।
जय भारत के प्राण तिरंगे।

जहाँ रही कल सन्ध्या काली
खिली चाँदनी है उजियाली।
वर्षों से अभिशप्त पुनीता,
पुष्प धरा पर है हरियाली
लूटी हुई भारतमाता के
हो सुहाग की शान तिरंगे।
जय भारत के प्राण तिरंगे।

(2) पनघट

ग्राम अलका अप्सराएँ
पनघट पर नीर भरे।

सुन्दर सजीले अंग,—
अचल हिले, खुले पंख,
वस्त्र कसे, कसे व्यंग
अधर रस बूँद झरे!

अंचल हिलाता मरुत्,
धीरे धीरे बजे नूपुर,
उर उर में मधुर मधुर,
अंग में उमंग भरे!

मधुर हास स्नेह सने,
खींच वारि कर थमे,
घूँघट तूणीर, तने—
नयनों के वाण चले!

आर्द्र-द्रुम छाया सघन,
नभ नील - उज्ज्वल घन,
हँसती सी मलयज पवन,
पुष्पों के पंख हिले!

उच्च नील शैल झलक
देता; था घट में छलक
होती फिर हास किलक
काम कल चाप धर!

विहँस उड़ी विहग वधू—
नीड़, चली ग्राम वधू,
प्राणों की वीणा में
जीवन का राग भरे!

(3) कवि से...

ओ शब्दों के चित्रकार तुम,
मृत वर्णों में भर देते हो
अपने प्राणों के जीवित कण!

जीवन की इस मौन डगर पर
तुम काँटों की कुंचित छाया
में भी जाने सुलग रहे हो—
कैसे अपनी कोमल काया!

सोये स्वर में प्राण जगा कर,
शुष्क शब्द से गान बना कर,
तुम जाने कैसे ले आते,
शापों से वरदान बना कर!

तुम जाने कैसे भर देते
स्वप्नों से जीवन का प्याला!
तुम कैसे मूर्च्छित कर देते
जीवित भावों से यह अन्तर!

कैसे जाने देव तुम्हारी
पीड़ा हो जाती है हाला

कैसे जाने सज जाती रे
अनजाने भावों की माला!

तुमने जीवन के क्रन्दन को
मधुर स्वरों के पात्रों में भर
पिला दिया रे अनायास ही
कैसे तुमने अपना अन्तर?

तुमने वर्णों की रेखा में
बाँध दिया सन्ध्या प्रभात को
तुमने पद लय के बन्धन में
बाँध दिया नश्वर जीवन को!

देव, तुम्हारे कल्पित जग की
अजर अमर सुन्दर कुटिया में
मैं भी आकर देख सकूँगा
क्या वे सारे संचित सपने?

(4) शाम हो गयी...

शाम हो गयी,
छिप गये पेड़,
जंगल से लौट आये
बैल, बकरी, भेड़!
पीपल पर लाल लाल
परियाँ रहीं नहीं,
दूर उधर वन में ही
छिप गयीं कहीं!

शब्द एक आता था
किसी के गाने का,
बन्द हो गया; दीप
मन्दिर पर जल गया,
पोखरों से होकर के
घेरों के पास तक

अँधेरा बढ़ आया
चुपके लपक!

डगरों से धूल भरे
बच्चे गये,
क़स्बे के व्यापारी
वापस गये,
पेड़ों के डैनों में
पंछी सोये,
तारों की छाया में
पेड़ सो गये!

सरिता के आसपास
तीर सो गया,
रात की उन बातों में
तम खो गया,
अधरों के बिस्तर पर
गान सो गये।

(5) बेला

आधी रात, जगे तुम बेला,
किसको देख रहे हो पथ पर?
सोया तम भी, सोया नभ भी
और सो गयी वह श्रान्त डगर!
ओ, कवि से तुम भी खिलते हो
गाते शैशव सा मृदु गाना।
सो जाता संसार सभी जब
एकाकी केवल मनमाना।
कौन खिला जाता है जाने
आकर तुमको धीर-धीरे;
नीरव तम में मधुर मौन वह

पंखुरियों पर मृदु स्पर्श दे!
तुम फूलों के राजा, वह भी
होगी रे परियों की रानी।
सबसे छिपकर आ जाती जो
तुम्हें सुनाने प्रेम कहानी।
तुमने यामा के विषाद में
ढूँढ़ा कैसे अमर हास रे?
तुमने कैसे जान लिया प्रिय,
आधी ठीक हुई रात रे?
बोलो, मेरे प्रिय बेला तुम,
मुझे सिखा दी खिलते रहना;
यामा के नीरव विषाद में भी
वृन्तों पर हँसते रहना।
आधी रात हो गयी बेला,
मैं जाता हूँ; तुम हो योगी!
प्रिय-माला-हित लेने कोई
जगी रात भर, आती होगी!

(6) मेरा देश

मेरा देश
मेरा देश
मेरा देश
नदियों का देश
कवियों का देश
छवियों का देश
यह देश—
कि वन-वन गाती-फिरती परियों का
खेतों का देश
गीतों का देश
दीपों का देश

यह देश—
कि शत-शत ऋतुओं का—उन रंगों का
पर्वत का देश
झीलों का देश
सागर का देश

यह देश—
पाल बर्फ़ के : माँझी के सन्देशों का
मेघों का देश
हंसों का देश
कमलों का देश

यह देश—
कि रंग-बिरंगे पंखों उड़ते पाखी का
सोने का देश
चाँदी का देश
मिट्टी का देश

यह देश—
कि लम्बे-लम्बे दिन औ गहरी रातों का
गीता का देश
अयोध्या का देश
मुग़लों का देश

यह देश—
राम, कृष्ण औ गाँधी, बुद्ध, जवाहर का
सन्तों का देश
महन्तों का देश
तीर्थों का देश

यह देश—
मन्दिर, मस्जिद, और शिवाले, गिरजे का
यौवन का देश
जीवन का देश
चिरन्तन देश

यह देश—
आशाओं का, विश्वासों का, आदर्शों का

मेरा देश
मेरा देश
मेरा देश

यह देश–
कि नाम एक बस केवल मेरे प्राणों का

(7) साँझ

धीरे-धीरे साँझ हो गयी!
अब बेला के फूल हिल गये,
नभ में कितने दीप जल गये,
मन में जगा भाव वह नये,
जग भर को मृदु-स्वप्न दे गयी!
ग्राम-डगर पर खिसका अंचल,
स्वर्ण विहग ले सोता पीपल,
उठ जल से यह रेखा चंचल
अभी-अभी नभ में खो गयी।
उधर सो गया धीरे, सविता
नभ में फैला कोमल कविता
जो बिखरे बादल की सन्ध्या
नीरव पग धर मुझे दे गयी!

(8) अन्तिम अप्रकाशित कविता

जो करता हो प्रतीक्षा पावस की
जिसके गीत से उगते हों बादल
जिसके कण्ठ से निकलता हो वसन्त
ऐसा रूपवान शव क्या
आपने कहीं देखा है?

तीन लेख

(1) कमल किशोर गोयनका : एक निश्छल व परिश्रमी प्राण

कुछ लोग ऐसे होते हैं कि आप उन्हें कतई नहीं जानते पर पहिली ही मुलाक़ात में कुछ ऐसा लगता है कि हम दोनों न जाने एक-दूसरे को कितने वर्षों से जानते हैं। डॉ. गोयनका इसी प्रकार के व्यक्ति हैं। मैं उनसे देहरादून में कोई सात वर्ष पहिले पहिली बार मिला था और उस एक भेंट में ही मैं उनका मुरीद हो गया, उनका भक्त हो गया। इतना सरल, निष्कपट, सात्विक और स्नेही बन्धु पाकर मैं वास्तव में भगवान के प्रति हृदय से आभारी हूँ। इस 'दुर्घटना' के बाद वे मेरे यहाँ जम्मू आये और मेरी 'प्रतिनिधि रचनाओं' के सम्पादन के सम्बन्ध में कोई सप्ताह भर रुके। तब मैंने उनका समीक्षक व शोधकर्म वाला व्यक्तित्व देखा, जो मेरे लिए पहला अनुभव था। वे इतने 'सिस्टैमैटिक' हैं, इतने परिश्रमी हैं और इतने पारखी हैं कि बड़े से बड़े प्रोजेक्ट को भी वे कम समय में समाप्त कर सकते हैं। उनके पास बैठ कर लगता है कि रामचन्द्र शुक्ल, हज़ारी प्रसाद द्विवेदी व बाबू श्यामसुन्दर दास किस प्रकार के व्यक्ति रहे होंगे। मैं अतिशयोक्ति कर रहा हूँ पर ज़्यादा नहीं।

डॉ. गोयनका ने मुंशी प्रेमचन्द पर काम किया और बड़ी निष्ठा व लगन के साथ किया। 'प्रेमचन्द विश्वकोश' एक ऐसा विशद ग्रन्थ है कि उसके कारण गोयनका जी की प्रसिद्धि देश में ही नहीं वरन् विदेशों में भी हुई। उन्हें कई पुरस्कार भी मिले। उन्होंने प्रेमचन्द की ऐसी रचनाओं को भी ढूँढ़ा जिनका किसी को पता भी नहीं था। प्रेमचन्द के जीवन के ऐसे प्रसंगों और घटनाओं का विवरण भी तैयार किया जिन्हें कोई नहीं जानता था। हालाँकि इन प्रसंगों में कुछ ऐसे पहलू भी आये जिन्हें प्रेमचन्द के 'अन्ध-भक्तों' ने पसन्द नहीं किया। बात यह है कि तुलसीदास की भाँति प्रेमचन्द भी करोड़ों पाठकों के लिए मात्र लेखक ही नहीं हैं वरन् उनके परिवार के सदस्य हैं, उनके अपने हैं। ऐसे लोग ऐसी कोई बात नहीं जानना चाहते जो उस चित्र पर नया प्रकाश डाले जिसे वे वर्षों से अपने हृदय पर अंकित किये हुए हैं। मैं खुद इन अन्ध-भक्तों में से एक हूँ। मगर इस सब से गोयनका जी के शोध-कार्य पर कोई अन्तर नहीं पड़ता।

प्रेमचन्द पर किये गये काम से जैसे ही कुछ अवकाश मिला, वैसे ही वे उन चर्चित साहित्यकारों की प्रतिनिधि रचनाओं के संकलन में लग गये, जिन्होंने एक से ज़्यादा विधाओं में काम किया था। यह काम उन्होंने उसी निष्पक्षता, कुशलता

और लगन के साथ किया जो उन्होंने प्रेमचन्द के सन्दर्भ में दिखाई थी। वे एक ऐसे समीक्षक हैं जो भावुक तो हैं पर निष्पक्ष भी हैं, स्नेही तो हैं पर स्पष्ट वक्ता भी हैं, प्रशंसक तो हैं पर कमियों पर प्रकाश डाले बिना रह नहीं पाते।

गोयनका जी की निश्छलता कभी-कभी ऐसे कमाल दिखाती है कि आप परेशानी में पड़ सकते हैं। उन्होंने मेरी एक अच्छी-ख़ासी किताब एक ऐसे प्रकाशक को दिलवा दी कि उसने मुझे अभी तक एक पैसा भी रॉयल्टी के रूप में नहीं दिया। यदि मेरा यह नुक़सान न हुआ होता तो मैं उनकी और ज़्यादा प्रशंसा करता।

(11 फ़रवरी, 1989)

(2) कुछ व्यंग्य-संस्मरण

मेरी शादी जून 1955 में हुई। उस समय मेरी आयु 25 वर्ष की थी और पत्नी की आयु 16 वर्ष की थी। उसी वर्ष, मैं केन्द्रीय सरकार की एक बड़ी नौकरी के लिए चुन लिया गया। दफ़्तर जाने पर मैंने साइकिल ख़रीदने के लिए एडवांस की अर्ज़ी दी जो अस्वीकृत कर दी गयी, क्योंकि मैं प्रथम श्रेणी का अधिकारी था और मुझे मोटर ख़रीदने का एडवांस तो मिल सकता था, पर साइकिल का नहीं। एक मित्र अधिकारी ने मुझे दस रुपये प्रति माह के किराये पर एक नयी साइकिल दिलवा दी। कोई डेढ़ वर्ष बाद मैंने अपनी साइकिल ख़रीदी, जिसकी क़ीमत डेढ़ सौ रुपया थी। साइकिल शानदार थी; उसमें घण्टी थी, चेन कवर था, स्टैण्ड था, आगे की तरफ़ बेंत की टोकरी थी और पिछली तरफ़ सामान रखने का क्लिप था। मैंने कोई बारह वर्ष बाद नयी मोटर ख़रीदी, जिसकी सारी क़ीमत साढ़े अठारह हज़ार थी। पत्नी गोरी थी और इसी कारण मोटर मैंने काले रंग की ली। अब तक वही मोटर है और वही पत्नी है। मोटर ख़रीदने के बाद मैंने अपनी साइकिल सौ रुपयों में बेच दी। अब तो हालत यह है कि मेरे निजी परिवार में छह मोटर हैं जिनमें मेरी मोटर सबसे पुरानी है। मोटर उतनी ही चमकती है जितनी कि वह सैंतीस वर्ष पहले चमकती थी। चार दुर्घटनाएँ हो चुकी हैं, जिनमें एक दुर्घटना भयंकर थी और मेरी जान कैसे बच गयी, यह मैं ख़ुद नहीं जानता। यह दुर्घटना मेरी अपनी लापरवाही के कारण हुई थी।

मुन्नीलाल ने मुझे मोटर चलाना सिखाया। वह मेरे ही दफ़्तर में चतुर्थ श्रेणी का कर्मचारी था। उसके साथ मेरा परिवार सारनाथ, वाराणसी, कौशाम्बी, चित्रकूट, चुनार, मिर्ज़ापुर, विन्ध्याचल, लोअर खज़ूरी डाम, अपर खज़ूरी डाम, चचई फ़ाल,

टाँडा फ़ाल, विंढम फ़ाल, रीवाँ, गोविन्द गढ़, कानपुर व लखनऊ गये। मुन्नीलाल शराब बहुत पीता था और इसी कारण वह तीस-पैंतीस वर्ष की आयु में ही मर गया। कौशाम्बी में कभी राजा उदयन राज करते थे और उनकी चर्चा कालिदास ने 'मेघदूत' में की।

1950 में जब मैं इलाहाबाद युनिवर्सिटी गया तो मैंने देखा कि लगभग सारे बड़े प्रोफ़ेसर या तो रिक्शे से चलते थे या फिर साइकिल चलाते थे। कुछ बड़े लोग (जैसे डॉ. ईश्वरीप्रसाद और रघुपतिसहाय 'फ़िराक़') युनिवर्सिटी पैदल ही आते थे, क्योंकि उनके बँगले युनिवर्सिटी के पास ही थे। हिन्दी-विभाग में केवल डॉ. रामकुमार वर्मा ही एक ऐसे अध्यापक थे जो मोटर रखते थे। बाद में चलकर डॉ. धर्मवीर भारती ने एक ऐसी फटीचर मोटर ख़रीदी थी जिसके भोंपू को छोड़कर, सारे पुर्ज़े आवाज़ निकालते थे। भोंपू की ज़रूरत कभी नहीं पड़ती थी, क्योंकि उनकी मोटर की आवाज़ इतनी बुलन्द थी कि वह दूर तक पहुँचती थी। उनकी उस मोटर को स्टार्ट करने के लिए क़रीब छह विद्यार्थी धक्का लगाते थे। कभी-कभी वह मोटर एकदम चल पड़ती थी और पीछे से धक्का लगाने वाले छात्र धराशायी हो जाते थे, जबकि उनकी वह शानदार मोटर प्रायः रोज़ ही काफ़ी धक्के लगाने के बाद ही गतिशील हो पाती थी। कॉमर्स विभाग के प्रोफ़ेसर घोष और अँग्रेज़ी विभाग के प्रोफ़ेसर सतीशचन्द्र देव ताँगे में बैठकर युनिवर्सिटी आते थे, जबकि अर्थशास्त्र के प्रोफ़ेसर रुद्रा साइकिल से ही युनिवर्सिटी आते थे। प्रोफ़ेसर देव एक दिलचस्प आदमी थे। उनके बारे में बच्चन ने लिखा है—

प्रोफ़ेसर देव थे गोलमटोल
मानो विश्व-ज्ञान के ढोल,
विनम्रता के थे अवतार
और विनम्रतर बन जाने में
उन्हें नहीं लगती थी बार,
कर सकते थे वे हाफ़िज़ का
सेनोलूल का, हलवे का
एक साँस में शंखोच्चार।

(3) नयी पीढ़ी

मैं एक निम्न मध्यवर्गीय परिवार में पैदा हुआ, जो मेरे पिता की घोर अकर्मण्यता के कारण भयंकर ग़रीब था। मेरी प्रारम्भिक शिक्षा संस्कृत में हुई। किसी तरह

मैं अपने क़स्बे के हाई स्कूल में भर्ती हुआ जिसका सारा श्रेय एक परम दयालु हैडमास्टर को जाता है, जिन्होंने मेरी फीस माफ करवाई और कोर्स की किताबें स्कूल की लाइब्रेरी से दिलवाईं। मैं क्लास में हमेशा प्रथम आता था और इसी कारण मुझे छात्रवृत्ति हमेशा मिलती थी। ट्यूशन करके सौ रुपये जमा किये और उन्हीं के बल पर मैं प्रयाग विश्वविद्यालय गया और वहाँ से एम.ए. की परीक्षा में टॉप करके लौटा। वहाँ भी मैंने पाँच रुपये मासिक की नौकरी की, छात्रवृत्ति पायी, प्रूफ़ पढ़े, डिस्पैच का काम किया और सुन्दर व अमीर लड़कियों के ट्यूशन भी किये। प्रयाग उन दिनों साहित्य का गढ़ था और पन्त, निराला, महादेवी वर्मा, फ़िराक़ और बच्चन वहीं रहते थे। अगर मैं प्रयाग न जाता तो साहित्यकार कभी नहीं बनता। प्रयाग में ही मैंने देश की सर्वोच्च सिविल सर्विसेज़ की प्रतियोगिता-परीक्षा पास की और 'इण्डियन डिफेंस एकाउण्ट्स सर्विस' के लिए चुन लिया गया। मैं रातों-रात एक बड़ा आदमी बन गया। नौकरी के सात वर्ष मैंने विभिन्न महत्त्वपूर्ण पदों पर केन्द्रीय सचिवालय में गुज़ारे। जब चौधरी बंसीलाल रक्षा मन्त्री बने, तो उन्होंने पहला ख़ास काम यह किया कि बिना किसी ठोस कारण के मुझे मुअत्तिल कर दिया। मैं उन दिनों रक्षा-मन्त्रालय में उपसचिव था। मुअत्तिली का ग़लत ऑर्डर उन्हें पिछली तारीख़ से वापस लेना पड़ा। कुछ परेशानियों को छोड़कर, मेरा सारा सेवा-काल शान्ति से गुज़रा। मैं बहुत भाग्यशाली था। यदि मैं इन दिनों 'भारतीय प्रशासन सेवा' या 'भारतीय पुलिस सेवा' में होता तो कुमारी मायावती, श्रीमती राबड़ी देवी या कुमारी जयललिता द्वारा, पता नहीं कब और कहाँ फेंक दिया गया होता। कुमारी मायावती की माया अनन्त है। यह कुमारी तो जब भी चाहे तभी चीफ़ सेक्रेटरी या डाइरेक्टर जनरल (पुलिस) को मुअत्तिल कर दें या उनका ट्रांसफर कन्याकुमारी को कर दें, हालाँकि कन्याकुमारी इनके राज्य के बाहर है। हरि अनन्त, हरि कथा अनन्ता...।

मैं तो फ़िलहाल देहरादून जैसे रमणीक और महत्त्वपूर्ण नगर में एक बड़े बँगले में रहता हूँ जिसमें (रोमन क़ानून के विधाता सिसरो के कथनानुसार) लाइब्रेरी व उपवन दोनों हैं। घूमना, लिखना, पढ़ना और निद्रा लाभ—इनको छोड़कर और कोई काम नहीं करता। डिप्रेशन, डायबिटीज और रिश्वत न लेने के दुःख ज़रूर सालते हैं, पर इस असार संसार में ऐसा कौन है जो पूर्णतया सुखी हो? नानक दुखिया सब संसार। मगर असली बात यह है कि इतना सब कुछ पाने के बाद भी मेरी नीयत नहीं बदली। कुली तभी करता हूँ जबकि, सामान रेल में रखने के लिए, वैसा करना अनिवार्य हो और कुली कर भी लिया तो उससे मज़दूरी देने पर जो बहस चलती है,

वह तभी ख़त्म होती है जबकि रेल चलने लगती है। प्रतिदिन पाँच सिगरेट पीता हूँ, और प्रत्येक सिगरेट की क़ीमत चालीस पैसे होती है। जूते खुद पालिश करता हूँ, किताबों की जिल्दें खुद बाँधता हूँ और अपनी हजामत खुद ही बनाता हूँ। कपड़ों को तब तक पहनता हूँ जब तक वे इतने न फट जायें कि मेरे गुप्तांग ही दिखने लगें। मैं एक गंजा व्यक्ति हूँ और जो थोड़े से बाल हैं, वे सिर के पिछले हिस्से पर ही हैं। इन बालों को प्रायः मैं पत्नी से कटवा लेता हूँ या खुद ही काट लेता हूँ। श्री महावीर त्यागी और श्री मुरारजी देसाई भी ऐसा ही करते थे। कार वही है जो पैंतीस वर्ष पहले ख़रीदी थी। उन दिनों नयी फिएट कार मात्र अठारह हज़ार में मिली थी और पेट्रोल का दाम निन्यान्वे पैसे प्रति लीटर था। गाड़ी ख़रीदने के लिए मैंने बारह हज़ार का कर्ज़ा तो सरकार से लिया और बाक़ी पैसा पुत्र के मुंडन-संस्कार के नाम पर अपने प्रोविडेण्ट फण्ड से निकाला। टेलीविज़न 'ब्लैक एण्ड ह्वाइट' ही रहा, रंगीन नहीं। पत्नी भी वही है जिसे मैंने लगभग अड़तालीस वर्ष पहले प्राप्त किया था। सभी चीज़ें आज भी लगभग उतनी ही नयी हैं जितनी कि वे प्राप्ति के समय थीं। मैं अब भी उतना ही दक़ियानूसी और किफ़ायती हूँ, जितना पचास वर्ष पहले था। सादा जीवन व सादे विचार। मगर नयी पीढ़ी ने मुझ पर जो हमला बोला है, उसका अन्त नज़र नहीं आता।

मेरा पुत्र एक अमेरिकन मल्टीनेशनल में ऊँचे पद पर है। उसका सही वेतन तो मैं नहीं जानता, मगर इतना ज़रूर जानता हूँ कि उसको जो वेतन, बोनस व अतिरिक्त सुविधाएँ मिलती हैं, उन पर उसे साढ़े बाईस लाख आय कर प्रत्येक वर्ष देना पड़ता है। उसकी सुन्दर पत्नी भी केन्द्रीय सरकार के टेलीफ़ोन विभाग में एक बहुत ऊँचे पद पर है। दोनों की अपनी अलग गाड़ियाँ हैं और दोनों ने विश्व के लगभग सभी देशों का दौरा किया है। दोनों इतने व्यस्त हैं कि उनके दो बच्चे आया पालती है। दो ड्राइवर हैं, एक कम्पनी का दिया पहरेदार है और बाक़ी घरेलू नौकर अलग हैं। सब कुछ है, पर बच्चों को कहानियाँ सुनाने का समय उनके पास नहीं है। मेरी पुत्री और दामाद बिहार के एक मुफ़स्सिल नगर में एक शानदार कान्वेंट चलाते हैं और इतने ठाठ से रहते हैं कि दामाद जो है वह लगभग एक हज़ार रुपयों की तो टाई ही लगाता है। कान्वेंट में छुट्टी होते ही अपनी-अपनी गाड़ियों में अपनी सुन्दर बच्ची के साथ वे दोनों भारत-दर्शन को निकल पड़ते हैं। उन्होंने सारे दर्शनीय स्थान देखे हैं और अपनी मोटरों के सहारे ही देखे हैं। इन दर्शनीय स्थानों में देहरादून भी शामिल है जहाँ वर्ष में एक या दो बार वे ज़रूर आते हैं। वे पाँच सितारों वाले होटलों में ठहरते हैं और वहाँ के बैरों को इतना 'टिप' देते हैं कि मुझे किसी बड़े

होटल के बैरा बनने की इच्छा सालने लगती है। महाकवि मिल्टन की यह पंक्ति याद आने लगती है जिसमें उसने कहा है कि 'दे आलसो सर्व, हू स्टैण्ड एण्ड वेट'। दोनों बच्चे फ़िज़ूलख़र्च होने के साथ-साथ दयालु भी बहुत हैं। कुली, मज़दूर व भिखारी तबके के लोगों को वे खुले हाथ देते हैं। यो न ददाति न भुक्ते, तस्य तृतीया गतिः भवति (भर्तृहरि)।

मेरे दोनों बच्चे जब भी आते हैं तभी उन्हें मेरे रहन-सहन में खामियाँ-ही-खामियाँ नज़र आती हैं। पिछले कुछ वर्षों में उन दोनों ने मेरे मकान में कपड़े धोने की मशीन, मकान के सारे पर्दे, क़ीमती किताबें, दो कूलर, एक एयर-कण्डीशनर, एक कॉर्ड-लैस, दो रंगीन टेलीविज़न, एक वीडियो, एक मोबाइल टेलीफ़ोन, एक इन्वर्टर और विदेशों से लायी विभिन्न वस्तुएँ इस प्रकार लगायी हैं, मेरा मकान एक अजायबघर लगता है जिसका कि मैं चपरासी लगता हूँ। अपने ही घर में अब मैं प्रवासी हो गया। (वह अपने घर में प्रवासिनी—पन्त) मेरा पुत्र और मेरा दामाद मेरी सुविधा के लिए एक-एक मोटर यहाँ भी छोड़ना चाहते हैं। अगर ऐसा हो गया तो मेरा घर एक गराज़ लगेगा और आयकर विभाग की एक टीम मेरे घर की तलाशी लेगी। पता नहीं कि मैं उन्हें कैसे सन्तुष्ट करूँगा कि छापे में डेढ़ लाख की अतिरिक्त सम्पत्ति जो मिली है, वह कहाँ से आयी और कब आयी। उन्होंने एक ड्राइवर भी लगा दिया है और मेरे जूतों की पालिश व हजामत बनाने का काम उस व्यक्ति को सौंप दिया है जो अब तक सिर्फ़ मेरा माली ही था। यह व्यक्ति एक कलाकार है जिसके लिखे और गाये हुए पहाड़ी गीत उत्तरांचल के रेडियो पर प्रसारित होते हैं। मैं हजामत बनवाते समय उसकी कला को किसी तरह दबाये रहता हूँ, ताकि मेरा गला सुरक्षित रहे।

आज सारे बच्चे हमें 'हाय' कहकर किसी बड़े होटल में खाना खाने गये हैं। मैं और मेरी निजी और एकमात्र पत्नी बरामदे में चाय पी रहे हैं और वर्षा का आनन्द ले रहे हैं। मैं सिगरेट सुलगाता हूँ और अपने प्रियतम कवि अकबर इलाहाबादी का एक शेर याद करता हूँ :

हम ऐसी सब किताबें क़ाबिले-ज़ब्ती समझते हैं
कि जिनको पढ़कर बच्चे बाप को ख़ब्ती समझते हैं।

(उ) कमल किशोर गोयनका का साहित्य

(क) प्रेमचन्द पर पुस्तकें

1. **प्रेमचन्द के उपन्यासों का शिल्प-विधान** : सरस्वती प्रेस, 2/43, अंसारी

रोड, दरियागंज, नयी दिल्ली-110002, प्र.सं. 1974, मूल्य : 50.00 रुपये
2. **प्रेमचन्द : कुछ संस्मरण** : सरस्वती विहार, जी.टी. रोड, शाहदरा, दिल्ली, प्र.सं. 1980, मूल्य : 25.00 रुपये
3. **प्रेमचन्द (पाकेट बुक)** : हिन्द पॉकेट बुक्स प्रा.लि., जी.टी. रोड, शाहदरा, दिल्ली, प्र.सं. 1980, मूल्य : 10.00 रुपये
4. **प्रेमचन्द और शतरंज के खिलाड़ी** : पूर्वोदय प्रकाशन, 7/8, दरियागंज, नयी दिल्ली-110002, प्र.सं. 1980, मूल्य 45.00 रुपये
5. **प्रेमचन्द : अध्ययन की नयी दिशाएँ** : साहित्य-निधि, सी-38, ईस्ट कृष्णा नगर, दिल्ली, प्र.सं. 1981, मूल्य : 50.00 रुपये
6. **रंगभूमि : नये आयाम** : नचिकेता प्रकाशन, 9187/4, मुल्तानी ढांडा, पहाड़गंज, नयी दिल्ली-110055, प्र.सं. 1981, मूल्य : 50.00 रुपये
7. **प्रेमचन्द-विश्वकोश (खण्ड एक एवं दो)** : प्रभात प्रकाशन, 205, चावड़ी बाज़ार, दिल्ली-110006, प्र.सं. 1981, मूल्य : 300.00 रुपये
8. **प्रेमचन्द–चित्रात्मक जीवनी** : पीताम्बर पब्लिशिंग कम्पनी प्रा.लि., 888, ईस्ट पार्क रोड, करोलबाग, नयी दिल्ली-110005, प्र.सं. 1986, मूल्य : 75.00 रुपये
9. **प्रेमचन्द का अप्राप्य साहित्य (खण्ड एक एवं दो)** : वाणी प्रकाशन, 21-ए, दरियागंज, नयी दिल्ली-110002, प्रथम संस्करण, 2016, मूल्य : प्रत्येक खण्ड 2000.00 रुपये
10. **प्रेमचन्द की हिन्दी-उर्दू कहानियाँ** : भारतीय ज्ञानपीठ, 18, इंस्टिट्यूशनल एरिया, लोदी रोड, नयी दिल्ली-110003, प्र.सं. 1990, मूल्य : 130.00 रुपये
11. **प्रेमचन्द-रचना संकलन** : साहित्य अकादेमी, 35, फ़िरोजशाह मार्ग, नयी दिल्ली-110001, प्र.सं. 1994, मूल्य : 300.00 रुपये
12. **प्रेमचन्द–देश-प्रेम की कहानियाँ** : निर्मल पब्लिकेशन्स, ए-139, कबीर नगर, गली नं.-3, शाहदरा, दिल्ली-110032, प्र.सं. 2002, मूल्य : 400.00 रुपये
13. **प्रेमचन्द के नाम पत्र** : अनिल प्रकाशन, 2619-20, न्यू मार्केट, नयी सड़क, दिल्ली-110006, प्र.सं. 2002, मूल्य : 250.00 रुपये
14. **प्रेमचन्द–बाल साहित्य समग्र** : मेधा बुक्स, एक्स-11, नवीन शाहदरा, दिल्ली- 110032, प्र.सं. 2002, मूल्य : 400.00 रुपये

15. **प्रेमचन्द की अप्राप्य कहानियाँ** : अनिल प्रकाशन, 2619-20, न्यू मार्केट, नयी सड़क, दिल्ली-110006, प्र.सं. 2005, मूल्य : 300.00 रुपये
16. **प्रेमचन्द और 'रगभूमि' उपन्यास** : अनिल प्रकाशन, 2619-20, न्यू मार्केट, नयी सड़क, दिल्ली-110006, प्र.सं. 2004, मूल्य : 200.00 रुपये
17. **प्रेमचन्द–पत्रकोश** : अमित प्रकाशन, के.बी.- 97, कविनगर, ग़ाज़ियाबाद-201002, प्र.सं. 2007, मूल्य : 600.00 रुपये
18. **प्रेमचन्द–नयी पहचान** : (प्रेस में)
19. **प्रेमचन्द : कहानी रचनावली** (6 खण्डों में) : साहित्य अकादेमी, 35, फ़िरोजशाह मार्ग, नयी दिल्ली-110001, 2010, मूल्य : 1500.00 रुपये (सम्पूर्ण)
20. **प्रेमचन्द : अनछुए प्रसंग** : मानसी पब्लिकेशंस, 1569, पहली मंज़िल, चर्च रोड, कश्मीरी गेट, दिल्ली-110006, प्र.सं. 2012
21. **प्रेमचन्द : वाद-प्रतिवाद-संवाद** : अयन प्रकाशन, महरौली, नयी दिल्ली, प्र. सं. 2012
22. **प्रेमचन्द (मोनोग्राफ)** : साहित्य अकादेमी, 35, फ़िरोजशाह मार्ग, नयी दिल्ली-110001, प्र.सं. 2013, मूल्य : 50 रुपये
23. **प्रेमचन्द : प्रतिनिधि संचयन** : सस्ता साहित्य मण्डल, नयी दिल्ली-110001, प्र.सं. 2013, मूल्य : 350.00 रुपये
24. **'गोदान' प्रथम संस्करण** (प्रेस में)
25. **'कफ़न' कहानी : आत्मा की तलाश** (प्रेस में)
26. **प्रेमचन्द : सम्पूर्ण** दलित **कहानियाँ** : सस्ता साहित्य मण्डल, नयी दिल्ली-110001, 2014
27. **प्रेमचन्द : राष्ट्र-प्रेम की कहानियाँ** : अनिल प्रकाशन, दिल्ली, 2014
28. **प्रेमचन्द का कहानी-दर्शन** : अनिल प्रकाशन, दिल्ली, 2014

(ख) अन्य साहित्यकारों पर पुस्तकें

1. **प्रभाकर माचवे–प्रतिनिधि रचनाएँ** : साहित्य-निधि, सी-38, ईस्ट कृष्णा नगर, दिल्ली, प्र.सं. 1984, मूल्य : 80.00 रुपये
2. **जगदीश चतुर्वेदी–एक विवादास्पद रचनाकार** : पल्लवी प्रकाशन, ए-35, निर्माण विहार, दिल्ली-110092; प्र.सं. 1985, मूल्य : 200.00 रुपये
3. **मन्मथनाथ गुप्त–प्रतिनिधि कहानियाँ** : जनप्रिय प्रकाशन, 29/60, गली

नं. 11, विश्वास नगर, दिल्ली-110032, प्र.सं. 1985, मूल्य : 65.00 रुपये

4. **जिज्ञासाएँ मेरी–समाधान बच्चन के :** किताब घर, 24/4866, अंसारी रोड, दरियागंज, नयी दिल्ली-110002, प्र.सं. 1985, मूल्य : 60.00 रुपये
5. **रवीन्द्रनाथ त्यागी–प्रतिनिधि रचनाएँ :** पराग प्रकाशन, 3/114, कर्ण गली, विश्वास नगर, दिल्ली-110032, प्र.सं. 1987, मूल्य : 100.00 रुपये
6. **हज़ारीप्रसाद द्विवेदी–कुछ संस्मरण :** किताब घर, 24/4866, अंसारी रोड, दरियागंज, नयी दिल्ली-110002, प्र.सं. 1988, मूल्य : 100.00 रुपये
7. **विष्णु प्रभाकर–प्रतिनिधि रचनाएँ :** प्रभात प्रकाशन, 205, चावड़ी बाज़ार, दिल्ली-110006; प्र.सं. 1988, मूल्य : 150.00 रुपये
8. **यशपाल–कुछ संस्मरण** : पराग प्रकाशन, 3/114, कर्ण गली, विश्वास नगर, दिल्ली-110032, प्र.सं. 1990, मूल्य : 80.00 रुपये
9. **रामकुमार वर्मा नाटक रचनावली (तीन खण्डों में) :** किताब घर, 24/4866, अंसारी रोड, दरियागंज, नयी दिल्ली-110002, प्र.सं. 1990, मूल्य : 600. 00 रुपये (सम्पूर्ण)
10. **लघुकथा का व्याकरण :** किताब घर, 24/4866, अंसारी रोड, दरियागंज, नयी दिल्ली-110002, प्र.सं. 1998, मूल्य : 200.00 रुपये
11. **दिनेशनंदिनी डालमिया से बातचीत :** हिन्दी बुक सेंटर, 4-5 बी, आसफ अली रोड, नयी दिल्ली-110002, प्र.सं. 2002, मूल्य : 160.00 रुपये
12. **मंजुल भगत–समग्र कथा-साहित्य (खण्ड एक एवं दो) :** किताब घर, 24/4866, अंसारी रोड, दरियागंज, नयी दिल्ली-110002, प्र.सं. 2004, मूल्य : 900.00 रुपये (सम्पूर्ण)
13. **ग़रीब होने के फ़ायदे एवं अन्य व्यंग्य रचनाएँ (रवीन्द्रनाथ त्यागी की व्यंग्य-रचनाओं का संकलन) :** प्रभात प्रकाशन, 4/19, आसफ अली रोड, नयी दिल्ली-110002, प्र.सं. 2008, मूल्य : 300.00 रुपये
14. **आपातकाल की प्रतिनिधि कविताएँ :** धारिका पब्लिकेशंस, 319, आर.जी. कॉम्प्लेक्स-1, सेक्टर-14, रोहिणी, दिल्ली-110085, प्र.सं. 2007, मूल्य : 400.00 रुपये
15. **गाँधी : पत्रकारिता के प्रतिमान :** नटराज प्रकाशन, ए-98, अशोक विहार, फेज-प्रथम, दिल्ली-110052, प्र.सं. 2008, मूल्य : 400.00 रुपये
16. **बालशौरि रेड्डी कथा-रचनावली :** मानसी पब्लिकेशंस, 1569, पहली मंज़िल,

चर्च रोड, कश्मीरी गेट, दिल्ली-110006, प्र.सं. 2012

17. **रवीन्द्रनाथ त्यागी रचनावली (आठ खण्ड) :** वाणी प्रकाशन, 21-ए, दरियागंज, नयी दिल्ली-110002, प्र.सं. 2016

(ग) हिन्दी के प्रवासी साहित्य पर पुस्तकें

1. **अभिमन्यु अनत—एक बातचीत** : ज्ञान भारती, 4/14, रूपनगर, दिल्ली-110007, प्र.सं. 1985, मूल्य : 45.00 रुपये
2. **अभिमन्यु अनत—प्रतिनिधि रचनाएँ** : नटराज प्रकाशन, ए-98, अशोक विहार, फेज-प्रथम, दिल्ली-110052, प्र.सं. 1999, मूल्य : 350.00 रुपये
3. **मॉरिशस की हिन्दी कहानियाँ :** साहित्य अकादेमी, 35, फ़िरोजशाह मार्ग, नयी दिल्ली-110001, प्र.सं. 2000, मूल्य : 250.00 रुपये
4. **अभिमन्यु अनत : समग्र कविताएँ :** इरावती प्रकाशन, सी-487, विकासपुरी, नयी दिल्ली-110018, प्र.सं. 1998, मूल्य : 350.00 रुपये
5. **मॉरिशस के राष्ट्रकवि ब्रजेन्द्र कुमार भगत 'मधुकर' काव्य-रचनावली :** नटराज प्रकाशन, ए-98, अशोक विहार, फेज-प्रथम, दिल्ली-110052, प्र.सं. 2003, मूल्य : 600.00 रुपये
6. **हिन्दी का प्रवासी साहित्य :** अमित प्रकाशन, के.बी.-97, कविनगर, ग़ाज़ियाबाद- 201002, प्र.सं. 2011, मूल्य : 600.00 रुपये

(घ) कमल किशोर गोयनका पर प्रकाशित पुस्तकें

1. **'समीचीन' पत्रिका का 'डॉक्टर कमल किशोर गोयनका अंक' :** सम्पादक—देवेश ठाकुर, मुम्बई
2. **प्रेमचन्द-साहित्य के अध्येता—डॉ. कमल किशोर गोयनका :** सम्पादक—देवेश ठाकुर, संकल्प प्रकाशन, ए-34, बिल्वकुंज हाउसिंग सोसाइटी, लालबहादुर शास्त्री मार्ग, मुलुंड (पश्चिमी), मुम्बई-400082, प्र.सं. 1990, मूल्य : 55.00 रुपये
3. **डॉ. कमल किशोर गोयनका का साहित्य-संसार :** निर्मला सैनी, अनिल प्रकाशन, 2619-20, न्यू मार्केट, नयी सड़क, दिल्ली-110006, प्र.सं. 2006, मूल्य: 200.00 रुपये
4. **'कल्पांत', फ़रवरी 2009, कमल किशोर गोयनका विशेषांक :** सम्पादक—मुरारीलाल त्यागी, 1962/151, त्रिनगर, दिल्ली-110035

5. **'समावर्तन', नवम्बर 2009, कमल किशोर गोयनका अंक** : सम्पादक–प्रभात कुमार भट्टाचार्य, 129, दशहरा मैदान, उज्जैन-456010
6. **'अभिनव इमरोज', जुलाई 2013, प्रेमचन्द विशेषांक** : सम्पादक–कमल किशोर गोयनका
7. **'पाण्डुलिपि' प्रवासी विशेषांक, रायपुर** : सम्पादक–कमल किशोर गोयनका, 2013